KB126918

최후의

—FOR—
ZACHARIAH

# 최후의 Z

## FOR ZACHARIAH

로버트 C. 오브라이언 장편소설 · 이진 옮김

 비룡소

# 하나

## 5월 20일

두렵다.

누군가 오고 있다.

정확히 말하면, 누군가 오고 있는 것 같단 생각이 들지만, 단정할 순 없다. 내 생각이 틀렸기를. 오전 내내 교회에 가서 기도했다. 제단 앞에 물을 뿌렸고 바이올렛과 층층나무 꽃도 올려놓았다.

그러나 연기가 피어오른다. 사흘 동안 연기가 났다. 지난번 연기와는 다르다. 작년에 아주 먼 곳에서 연기가 뭉게뭉게 피어올랐고 2주 동안 지속되었다. 말라죽은 숲에서 일어난 산불이었고 비가 내린 뒤에 잦아들었다. 그런데 이번 연기는 막대처럼 가는 기둥이고 그리 높이 올라가지도 않는다.

연기 기둥은 지금까지 세 번 보였고 매번 늦은 오후였다. 밤엔 안 보이고 아침엔 사라진다. 그러나 오후가 되면 다시 나타나고 매번 조금 더 가까워진다. 처음엔 클레이폴 산 뒤쪽에서 솟아올랐고 연기 기둥의 끝 부분만 작은 얼룩처럼 보였다. 구름인가 생각했지만 너무 잿빛이었다. 구름 빛깔이 아니어서 그제야 나는 깨달았다. 이젠 어디에도 더 이상 구름이 없다는 걸. 쌍안경으로 다시 보니 좁고 가느다란 연기 기둥이었다. 조그만 모닥불에서 피어오르는 연기. 트럭을 타고 가곤 했던 클레이폴 산은 여기서 25킬로미터 거리였다. 연기는 바로 그 산 너머에서 올라오고 있었다.

클레이폴 산을 넘어 15킬로미터 정도를 더 가면 오그덴타운이다. 그러나 오그덴타운에는 생존자가 없다.

전쟁이 끝나고 전화가 불통이 되자 아빠와 조지프, 사촌 데이비드가 주변 상황을 알아보기 위해 트럭을 타고 나갔고 그때 처음 간 곳이 오그덴타운이었다. 그들은 아침 일찍 출발했다. 조지프와 데이비드는 신이 났지만 아빠는 표정이 어두웠다.

그들이 돌아왔을 땐 날이 어두워져 있었다. 시간이 너무 오래 걸렸기 때문에 엄마는 계속 걱정에 휩싸여 있었다. 그래서 3킬로미터 거리에서 버든 언덕을 넘어오는 트럭 불빛이 보였을 때 너무도 반가웠다. 마치 구원의 불빛처럼. 우리 집 불빛을 제외하면 그게 유일한 불빛이었다. 하루 종일 차 한 대도 지나가지 않았다. 차가 덜컹거릴 때마다 왼쪽 불빛이 깜빡거렸기 때문에 우리 트럭인 걸 알았다. 트럭이 집 앞에 섰고 모두 차에서 내렸다. 아이들은 더 이상 신나 보이지 않았다. 겁에 질린 표정이었다. 아빠는 토할 것 같은 표정이었다. 어쩌면 정말 토하려는 것이었을 수도 있지만 그보다는 괴로워 보였다는 표현이 더 맞을 것이다.

엄마가 차에서 내리는 아빠의 표정을 살폈다.

"뭔가 있었어요?"

"시체들. 시체들뿐이야. 다 죽었어."

아빠가 대답했다.

"전부 다?"

우리는 불이 밝혀진 집 안으로 들어섰고 아이들도 말없이 따라 들어왔다. 아빠가 앉았다.

"참혹하더군."

아빠는 그 말을 하고 또 했다.

"너무 참혹해. 차를 몰고 여기저기 돌아다녔어. 경적도 울려 봤고 교회에 들어가서 종도 쳐 봤어. 8킬로미터 밖에서도 들을 수 있는 소리였지. 그렇게 두 시간을 기다렸는데, 아무도 오지 않더군. 직접 집을 찾아가 보기도 했어. 존슨네, 피터네…… 다들 집에 있더라고. 죽은 채로. 거리에 온통 죽은 새들이 널려 있었어."

조지프가 울음을 터뜨렸다. 조지프는 열네 살이었다. 조지프가 우는 걸 보긴 6년 만에 처음이었다.


## 5월 21일

연기가 점점 더 가까워진다. 오늘은 거의 산 정상에서 피어오르는 것 같았지만 막상 쌍안경으로 보니 여전히 불길은 보이지 않았고 아주 빠르게 피어오르는, 불길에서 그리 멀리 가지 않는 연기만 보였다. 어딘지 알 것 같았다. 교차로. 산 너머에서 동서를 잇는 고속도로가 우리 동네 도로와 만난다. 주 고속도로이자 9번 도로인 딘타운 도로는 우리 동네 도로인 793번 카운티 도로보다 크다. 그는 거기 서서 9번 도로를 따라갈지 아니면 산을 넘어올지 망설이고 있다. 여러 사람일 수도 있고 심지어 여자일 수도 있겠지만, 내 생각엔 남자일 것 같아서 '그'라고 말한다. 만약 그가 고속도로를 따라간다면 그대로 사라져 버릴 것이고, 아무 문제도 없을 것이다. 한 번 지나치면 다시 돌아올 리는 없으니까. 그러나 그가 산을 넘는다면 이쪽으로 내려올 게 분명하다. 초록빛 나뭇잎을 볼 테니까. 산 너머에는, 아니 심지어 버든 언

8

덕 너머에도 초록색 잎이 하나도 없다. 전부 다 죽었다.

여기서 몇 가지 설명할 것들이 있다. 첫째, 내가 왜 두려워하는지, 둘째, 내가 왜 이 노트에 글을 쓰고 있는지. 노트는 여기서 1.5킬로미터 정도 거리에 있는 클라인 씨네 슈퍼마켓에서 가져왔다.

노트와 볼펜들은 지난 2월에 가져다 놓았다. 신호가 약해서 밤에만 겨우 들렸던 라디오 방송이 그 무렵 결국 중단되고 말았다. 그렇게 되고 나서 아마도 석 달, 혹은 넉 달쯤 지난 것 같다. '아마도'라고 말한다. 그게 바로 내가 이 노트를 가져온 이유다. 어떤 일이 언제 일어났는지 잊어버리기 시작했고, 때로는 어떤 일이 실제로 일어났는지 아니면 일어나지 않았는지조차 잘 기억나지 않았기 때문이다. 또 한 가지 이유는, 글을 쓰다 보면 누군가와 얘기하는 것 같은 기분이 들 것 같고, 나중에 다시 읽어보면 누군가 내게 말을 거는 것 같은 기분이 들 것 같아서였다. 그러나 그동안 별로 많이 쓰진 못했다. 왜냐하면 쓸 게 별로없었으니까.

때론 날씨가 어땠는지, 폭풍이 몰려왔다거나 특이한 점이 있었는지 기록했다. 텃밭에 씨를 뿌리고 나서 쓰기도 했다. 그런 걸 써 두면 내년에 쓸모가 있을 것 같았다. 그러나 쓸 게 없는 날이 더 많았다. 오늘은 어제와 똑같았고 '글은 써서 뭐하나, 어차피 읽을 사람도 없는데.' 하는 생각도 들었다. 그럴 때면 나 자신에게 말하곤 했다. 언젠가, 아주 오랜 세월이 흐른 뒤, 네가 읽게 될 거라고. 내가 최후의 생존자임을 나는 거의 확신하고 있었다.

그러나 이젠 쓸거리가 생겼다. 내가 틀렸다. 나는 최후의 생존자가 아니다. 설레기도 하고 두렵기도 하다.

모두가 떠나 버리고 난 후 처음엔 혼자인 게 싫어서 하루 종일 길만 쳐다보면서 차 한 대라도, 누구든 한 명이라도, 어느 방향에서건 언덕을 넘어와 주기만 기다렸다. 잠이 들면 내가 있는 줄 모르고 누군가 이 마을을 지나쳐 버리는 꿈을 꾸었고, 그럴 때면 얼른 일어나 멀리 사라져 가는 불빛이 있는지 찾아보곤 했다. 그렇게 몇 주가 흘렀고 라디오 방송도 하나둘 사라져 갔다. 마지막 방송이 사라지고 영영 다시 돌아오지 않았을 때 마침내 나는 깨달았다. 사람도, 차도 날 찾을 일이 영영 없으리란 걸. 처음엔 배터리가 다 닳은 줄 알고 슈퍼마켓에서 배터리를 가져왔다. 손전등에 넣어 보니 작동이 되었기 때문에 방송이 중단된 것임을 알았다.

어쨌든 마지막까지 방송을 했던 남자가 조만간 방송을 중단해야 할 것 같다고 말했다. 이제 전기가 끊어질 거라면서. 그는 배에 있는 것도 아니면서 계속 자신이 있는 곳의 위도와 경도를 반복해서 말했다. 매사추세츠 주 보스턴 부근이었다. 다른 얘기들도 했는데 별로 듣고 싶지 않은 소식들이었다. 그의 말을 듣고 이런저런 생각을 하게 되었다. 언덕에서 차 한 대가 달려오고 있다면? 그래서 내가 엉겁결에 달려 나가고 차에 타고 있던 사람이 내렸는데, 그가 미친 사람이라면? 아니면 야비한 사람, 잔인한 사람, 포악한 사람이라면? 심지어 살인자라면? 그땐 어떻게 해야 할까. 라디오의 남자는 막바지엔 조금 미친 것 같았다. 그는 두려워했다. 그가 있는 곳에 사람이 별로 없고, 먹을 것도 별로 없다고 했다. 죽음이 닥치더라도 인간으로서 품위를 잃어선 안 된다고, 인간은 누구나 평등한 존재라고도 했다. 그는 라디오를 통해 애원하고 있었고 나는 뭔가 끔찍한 일이 벌어지고 있음을 직감했다. 한번은 그가 울음을 터뜨리고 엉엉 울기도 했다.

그래서 나는 결심했다. 만약 누군가가 나타난다면, 내 모습을 드러내기 전에 그가 누구인지 먼저 알아보겠다고. 문명 세계에서라면, 그리고 주변에 다른 사람들이 있다면, 누군가 나타나길 바랄 것이다. 그러나 나 말고 아무도 없다면 얘기가 완전히 달라진다. 내가 서서히 깨닫게 된 사실이다. 세상엔 혼자 있는 것보다 더 끔찍한 일들이 얼마든지 있다. 그런 생각이 들고부터 나는 내 물건들을 동굴로 옮기기 시작했다.

## 5월 22일

오늘 오후, 어제와 같은 장소에서 또다시 연기가 피어올랐다.

나는 그(그들? 혹은 그녀?)가 무얼 하는지 알고 있다. 그는 북쪽에서 왔다. 교차로에서 짐을 풀고 야영하면서 9번 도로를 따라 동쪽과 서쪽을 탐험하는 중이다. 걱정이다. 동쪽과 서쪽을 살펴보고 나면 분명히 남쪽도 볼 텐데.

덕분에 새로운 사실을 몇 가지 알게 되었다. 그는 상당히 무거운 짐과 장비를 들고 왔을 것이다. 그래서 좀 더 신속하게 움직이기 위해 그것들을 교차로에 남겨 두고 단거리 여행을 하고 있는 것이다. 어디에서 오는 길이건, 지금껏 그는 한 번도 사람 구경을 못 한 게 분명하다. 그렇지 않고서야 교차로에 짐을 두고 돌아다닐 리가 없다. 아니면 동행이 있거나. 물론 그저 쉬고 있는 걸 수도 있다. 차를 몰고 왔을 수도 있겠지만 왠지 그럴 것 같진 않다. 차에는 방사능 물질이 오래 남는다고 아빠가 말한 적이 있다. 아마 중금속 재질이라 그럴 것이다. 아빠는 그런 것들을 많이 알았다. 과학자는 아니었지만 신문이나 잡지의 과학 관련 글은 전부 다 읽었다. 그래서 전쟁이 끝나고 전화가 끊겨졌을 때 아빠가 그토록 걱정했던 것 같다.

오그덴타운에 다녀오고 나서 가족들은 한 번 더 여행을 떠났다. 이번에는 차 두 대가 출발했다. 우리 집 트럭과 슈퍼마켓을 하는 클라인 씨네 밴이 함께 움직였다. 한 대가 고장 날 경우를 대비한 조치였다. 클라인 씨 부부가 함께 갔고 마지막으로 엄마도 합류하기로 했다. 엄마는 아빠와 떨어져 지내는 게 두려웠던

12

것 같다. 오그덴타운 소식을 들은 뒤로 엄마의 걱정은 더 깊어졌다. 조지프와 나는 집에 남기로 했다.

이번에는 남쪽으로 가 보기로 했고 먼저 아미시(17세기 말 스위스에서 시작된 침례교 종파로 전화, 자동차 등 현대 문명을 거부하고 교회를 중심으로 가족 단위의 공동체를 형성하고 있다./ 옮긴이) 마을로 이어진 골짜기 틈새 길로 들어가 보기로 했다. 폭탄이 투하된 이후 그곳 상황이 어떤지 알아보기 위해서였다. (사실 아미시 마을에 폭탄이 떨어진 건 아니었다. 가장 가까운 폭탄 투하 지점도 마을에선 멀리 떨어져 있었다. 아빠는 아마 수백 킬로미터 이상 떨어진 지점일 거라고 했다. 지반이 흔들리는 걸 느끼긴 했지만 굉음은 들리지 않았기 때문이다.) 아미시 마을의 농장들은 우리가 살고 있는 골짜기의 남쪽 방향에 있었다. 아미시 마을 사람들은 우리와 친했고 특히 클라인 씨와는 각별한 사이였다. 그들은 클라인 씨네 슈퍼마켓의 단골손님이었다. 아미시 사람들은 차 대신 말과 마차를 이용했기 때문에 오그덴타운까지는 자주 나가지 않았다.

아미시 마을을 둘러보고 난 뒤에는 서쪽으로 방향을 돌려 베일러를 거쳐 딘타운으로 가는 고속도로를 탈 예정이었다. 딘타운은 인구 2만 명 규모의 진짜 도시였다. 오그덴타운보다 훨씬 더 큰 도시. 1년 후 나는 딘타운에 있는 사범대학에 진학할 예정이었다. 나는 영어 교사가 되고 싶었다.

그들은 아침 일찍 떠났다. 클라인 씨가 밴을 타고 먼저 출발했다. 아빠는 떠날 때, 내가 여섯 살 때 가끔 그랬던 것처럼 내 머리에 손을 얹었다. 데이비드는 아무 말도 하지 않았다. 그들이 떠난 뒤 한 시간쯤 되어서야 나는 조지프가 사라졌단 걸 깨달았다. 조지프가 어디 있었는지 짐작이 갔다. 조지프는 클라인 씨의 밴 트렁크에 숨어 있었다. 왜 진작 그 생각을 못 했을까. 우리 둘 다 집에 남겨지는 게 두려웠지만 아빠 우리가 집에 있어야 한다고 했다. 가축들을 돌봐야 하고 혹시 누군가 찾아올 수도 있다면서. 전화가 복구되면 전화벨이 울릴 수도 있다면서. 그러나 전화벨은 울리지 않았고 아무도 찾아오지 않았다.

우리 가족은 그 후로 영영 돌아오지 않았고 클라인 씨 부부도 마찬가지였다. 이제 나는 아미시 마을에도, 딘타운에도 생존자가 없다는 걸 안다. 전부 다 죽었다.

그날 이후 나는 이 골짜기의 모든 언덕 꼭대기에 올라가 보았다. 언덕 꼭대기에 있는 나무 위에까지 올라가 보았다. 멀리 보이는 나무들은 전부 다 죽었고 살아 움직이는 생명체의 징후는 하나도 보이지 않았다. 굳이 가 볼 필요조차 없었다.

# 둘

## 5월 23일

아침 10시 30분경, 마침내 할 일들을 해치우고 나서 잠시 휴식을 취하며 이 글을 쓴다. 하고 싶어서 한 일들은 아니었다. 그러나 그가 산을 넘어오고 버든 언덕을 넘어와서 내 시야에 들어올 때까지 기다렸다간 너무 늦을 것 같았다.

그가 오기 전에 해야 할 일들이 있었다.

먼저 닭들을 닭장에서 쫓아야 했다. 나는 닭들을 멀리 쫓아버렸다. 녀석들은 이제 자유다. 너무 멀리 가지만 않는다면 전부다는 아니더라도 나중에 다시 잡을 수 있을 것이다.

젖소 두 마리와 수송아지 한 마리도 목장 밖으로 내보냈다.

녀석들도 멀리 쫓았다. 한동안은 버틸 수 있을 것이다. 먼 들판에는 아직 초록 풀과 연못의 물이 있고 송아지가 젖소의 젖이 마르지 않도록 해 줄 것이다. 녀석들은 건지종 젖소(우유 생산량이 많은 젖소/ 옮긴이)이다. 가축에 관해서만큼 나는 운이 좋은 편이었고 지금까지 꽤 잘 돌보았다. 닭들은 계속 알을 낳았고 처음보다 두 마리가 늘었다. 다만 개 한 마리는, 데이비드의 개 파로는 달아나 버렸다. 어느 날 아침 일어나 보니 사라졌고 그 후로 돌아오지 않았다. 데이비드를 찾아 골짜기 밖으로 나갔다가 죽었나 보다.

채소밭도 갈아엎어서 싹이 올라오는 것들은 전부 다 뽑아서 뭉개고 낙엽을 덮었다. 그렇게 하고 보니 이제 아무것도 보이지 않는다. 그 일이 내겐 가장 힘들었다. 채소가 무럭무럭 잘 자라고 있었기 때문이다. 그러나 내겐 한동안 버틸 통조림과 건조식품이 충분히 있다. 혹시라도 그가 이랑을 내고 잡초를 뽑은 밭을 본다면 여기 누군가 살고 있단 걸 알게 될 것이다.

나는 동굴 입구에 앉아 있다. 여기서는 골짜기 전체가 내려다보이고 우리 집과 헛간, 슈퍼마켓 지붕, 오래된 교회의 조그만 탑(교회 탑 외벽의 나무판 몇 개가 떨어졌는데, 내가 고칠 수 있을지 잘 모르겠다.) 그리고 거기서 15미터 정도 거리에서 흐르는 개울도 일부 보였다. 버든 언덕을 넘어오는 도로도 다시 숲으로 사라지기 직전까지 약 6킬로미터 정도가 보였다. 그러나 그는 동굴을 볼 수 없을 것이다. 동굴은 집 뒤쪽 산 중턱에 자리 잡고 있는 데다 나무들이 조그만 동굴 입구를 가리고 있기 때문이다. 조지프와 데이비드와 나는 거의 매일 이 근처에서 놀면서도 오랫동안 이 동굴의 존재를 알지 못했다.

물론 그는 우리 집을 볼 것이고 슈퍼마켓과 교회도 보겠지만 여기까지 오는 동안 그런 것들은 수도 없이 보았을 것이다. 다행히도 최근에 집 안의 먼지를 털어 내지 않았다. 오늘 아침 집 안을 찬찬히 둘러보았을 때에도 사람이 살았다는 흔적은 찾을 수 없었다. 교회 제대에 놓았던 꽃다발도 치웠다. 램프 두 개와 기름도 동굴로 가져왔다.

나는 기다릴 것이다. 대충 10시 반쯤 된 것 같지만 시간은 잘 모른다. 손목시계가 아직 작동이 되지만 해의 위치를 보고 시간을 맞춰 놓는 것 말고는 시간을 알 길이 없다. 달력도 있지만 날짜를 꼽기가 쉽지 않다. 처음엔 연필로 하루씩 날짜를 지웠다. 그러다가 언젠가부터 저녁 시간이 되면 달력을 보며 생각하게 되었다. 오늘 지웠던가? 안 지웠던가? 지우지 않은 날도 있었을 거고 두 번 지운 날도 있었을 것이다. 그래서 지금은 좀 더 확실한 방법을 쓰고 있다. 자명종을 맞추어 놓고 달력 바로 옆에 놓은 다음, 자명종이 울릴 때마다 날짜를 지운다. 아침에만 지우고 저녁이 되면 태엽을 감아 놓는다.

조만간 정확한 날짜를 알 수 있을 것 같다. 《농사 연감》에 의하면 1년 중 가장 해가 긴 날은 6월 22일이다. 몇 주 내로 나는 해 뜨는 시간과 해 지는 시간을 매일 기록하기 시작할 것이다. 가장 해가 긴 날이 바로 6월 22일이다.

그러나 그런 것 따위가 뭐 대수인가. 다만 내 생일이 6월 15일이니까 생일이 언제인지 알면 내 나이라도 정확히 알 수 있을 것이다. 올해 생일이 지나면 나는 열여섯 살이 된다. 3주 남았다.

그런 소소한 것들에 대해서라면 얼마든지 쓸거리가 있었다. 처음 내가 혼자 남았다는 사실을 깨달았을 때, 그리고 앞으로도 어쩌면 평생 혼자 살지도 모른단 사실을 알았을 때 내가 알아내야 할 것들에 대해서라면. 그나마 가장 다행스러운 일은 슈퍼마켓이 있다는 것이었다. 아미시 농장 사람들을 위한 대형 슈퍼마켓이라 생필품이 잘 갖추어져 있었다. 또 한 가지 다행스러운 일은 지난봄 전쟁이 끝났다는 것이다. (사실 전쟁이 시작된 것도 봄이었다. 겨우 일주일간의 전쟁이었다.) 덕분에 나는 여름 내내 상황을 파악할 시간이 있었고 두려움을 극복하고 겨울을 날 궁리를 할 수 있었다.

난방 문제만 해도 그렇다. 우리 집엔 석유난로와 가스난로가 있다. 전화가 꺼지고, 전기도 끊어지고, 석유난로는 전기 없이 작동되지 않았다. 가스난로는 작동이 되겠지만 가스가 필요했다. 가스통은 (두 개가 있지만) 조만간 비어 버릴 것이고 가스통이 비어도 가스 트럭이 와서 채워 주지 않을 것이다. 대신 우리 집엔 벽난로가 두 개 있다. 하나는 거실에 있고 하나는 식탁 옆에 있다. 헛간에 이미 패어 놓은 장작들이 있었다. 그러나 그것만으로는 충분치 않아서 봄, 여름, 가을의 여러 날 아침을, (슈퍼마켓에서 가져온) 새 원통 톱으로 나무를 잘라 헛간에 있던 낡은 손수레에 장작을 던져 넣으며 보냈다. 집 안의 다른 방들은 난방을 차단해 놓고 방 두 개만 따뜻하게 유지하는 방법으로 아주 추운 날을 제외하면 그럭저럭 따뜻하게 지낼 수 있었다. 그다음엔 스웨터를 더 껴입었다. 가스를 아껴 쓴 덕분에 겨우내 난로를 꺼트리지 않을 수 있었다. 음식은 벽난로 불에 익혀 먹었다. 그 바람에 프라이팬이 무척 더러워졌다. 가스를 사용하기 이전에 쓰던 낡은 석탄 스토브도 헛간에 있었다. 올여름엔 그걸 집 안에 들여놓을 생각이다. 아니, 이미 들여놓으려고 생각했다. 내가 들기엔 너무 무겁지만 분해할 수 있을 것 같다. 벌써 기름을 쳐서 나사를 느슨하게 해 놓았다.

오늘 아침 쉬다가 이 글을 쓰기 시작했다. 그러고 나서 좀 더 일을 하다가 점심을 먹고 나니 어느덧 오후.

연기가 다시 피어오른다. 클레이폴 산의 이편에서 피어오르는 게 확실하다. 어림잡아 산봉우리와 버든 언덕의 중간 지점 정도인 것 같다. 그건 곧 그가(그들, 혹은 그녀일 수도 있지만) 이 골짜기를 보았고 이쪽으로 오고 있단 뜻이다.

끝의 시작이 다가오는 것 같은 기분이다. 어떻게 해야 할지 결단을 내려야 한다.

이상한 일이다. 어떤 사람인진 몰라도 너무 천천히 움직인다. 경로로 보아 산을 넘어온 게 분명한데, 그랬다면 산꼭대기에서 우리 골짜기와 초록 나무들을 보았을 것이다. 그 산 정상은 버든 언덕보다 높기 때문이다. 나도 거기서 수도 없이 골짜기를 내려다보아서 거기서 골짜기가 보인다는 걸, 적어도 골짜기 가장자리라도 보인다는 걸 안다. 그렇다면 서둘러 오는 게 당연하다. 그가 딘타운 쪽으로 갔다 왔거나 아니면 반대편인 동쪽으로 9번 도로를 따라가 보았다면 오직 죽음만을 보았을 것이다. 내가 본 것처럼, 잿빛과 갈색으로 뒤덮인 세상에 갈대처럼 변해버린 나무들을 보았을 것이다. 그가 어디서 오는 길이건 오는 길 내내 그것 말고는 아무것도 보지 못했을 것이다. 그런데 그는 산봉우리와 버든 언덕 사이에 머무르고 있다. 골짜기까지 겨우 12킬로미터 정도 거리인데, 중간에 짐을 풀고 불을 피우고 있는 것이다.

내일 아침엔 버든 언덕으로 나가서 나무에 올라가 망이라도 보아야 할까. 도로로 걸어 나가진 않을 것이다. 그 방향으로 난 다른 길이 있다. 높은 산등성이를 따라 난 숲길이다. 숲에는 여러 갈래의 길이 있고 나는 그 길들을 전부 다 꿰고 있다. 만약 나가게 된다면 총을 들고 가야지. 가벼운 22구경 정도. 나는 총을 꽤 잘 쏘는 편이다. 조지프나 데이비드보다도 나은 실력이다. 하지만 깡통이나 유리병을 놓고 연습한 게 전부다. 아빠가 사슴 사냥할 때 썼던 커다란 총은 진동이 너무 심하다. 쏘아 본 적은 있지만 방아쇠를 당길 때 자꾸만 눈을 찡그리게 되고 총알이 빗나간다. 물론 실제로 총을 쏠 일이 있을 거라 생각하진 않는다. 나는 총을 좋아하지 않는다. 그저 가져가야 할 것 같은 기분이 드는 것뿐이다. 무슨 일이 일어날지 모르니까.

오늘 저녁엔 동굴에 물을 좀 더 길어다 놓고 뭐라도 만들어 먹어야겠다. 그가 이 골짜기로 들어오면 그때부턴 불을 지필 수 없을 것이다. 낮엔 연기를 볼 거고, 밤엔 불꽃을 볼 것이다. 불을 밖에서 지펴야 하니까. 한번은 동굴 안에서 불을 지피다가 연기가 너무 자욱해져서 밖으로 뛰쳐나간 적도 있었다. 오늘 저녁엔 닭을 조리하고, 달걀을 (완숙으로) 익히고, 옥수수 가루로 빵을 만들 것이다. 그러면 비록 며칠이라도 통조림만으로 연명하지 않아도 될 것이다.

밤에 몰래 개울로 나가 물을 길어 올 수도 있을 것이다. 그러나 물을 미리 떠다 놓는 편이 더 안전할 것 같다. 내게는 뚜껑 달린 물통이 여섯 개 있다. 사과술을 담았던 통이다.

전기가 끊겼을 때 결정해야 할 문제가 한 가지 더 있었다. 바로 물이다. 집 앞에 우물이 있었다. 아니, 아직도 있다. 깊이가 20미터 정도로 전기 펌프로 물을 끌어 올리는 우물이었다. 전기

온수기, 샤워기, 욕조도 있지만 물론 전부 다 작동이 멈추었다. 우리 가족이 떠나기도 전에 일어난 일이었다. 그래서 우린 물을 길어 날라야 했다. 우물의 폭이 너무 좁아 물동이를 우물 안에 넣을 수가 없었고 결국 우리에겐 두 가지 선택이 남았다. 하나는 지금 내가 있는 곳에서도 보이는, 동굴 옆을 지나서 집 쪽으로 흐르다가 왼쪽으로 방향을 틀어 초원으로 들어가 연못으로 흘러드는 물줄기였다. 맑고 깊은 연못에는 도미와 농어도 살았다. 또 하나는 더 크고 폭이 넓은 데다 집에서도 가까운 버든 시내였다. (버든 시내는 버든 언덕처럼 우리 가족의 성 '버든'을 따서 이름을 지었다. 버든 가족이 이 골짜기에 처음 정착한 사람들이었기 때문이다.) 그 물줄기는 도로와 거의 평행으로 흐르다가 남쪽 골짜기 틈새로 빠져나간다. 그 시내는 작은 강이나 다름없고 무척 아름답다. 아니, 아름다웠다.

집에서 더 가까웠기 때문에 우리는 버든 시내에서 물을 길어와야겠다고 생각했다. 필요할 때 한 번에 두 물동이씩. 그러고는 어느 날 조지프와 내가 처음으로 물을 길으러 갔을 때 우연찮게 무언가를 발견했다. 연못에 사는 물고기처럼 크진 않아도 버든 시내에도 물고기가 살았다. 그러나 처음 물을 길으러 갔던 날 우리는 물에 둥둥 떠다니는 죽은 물고기들을 보았다. 둑에서 죽어 있는 거북이도 한 마리 보았다. 이 물줄기는 버든 언덕 왼쪽에 있는 바위산의 좁은 틈새에서 흘러 들어온다. 외부에서 흘러 들

22

어오는 물이라 방사능에 오염이 되어 버린 것이다. 우리는 한참 동안 물을 들여다보았다. (물속에 들어가진 않고 뒤로 물러서서 보았다.) 그리고 마침내 깨달았다. 물속에 아무것도 살지 않는다는 걸. 물벌레 한 마리, 개구리 한 마리조차도.

우리는 겁이 더럭 났다. 그래서 (물동이를 들고) 연못으로 달려갔다. 작은 물줄기가 흘러드는 연못 맨 가장자리로. 피라미 떼가 그렇게 반갑긴 난생처음이었다. 피라미들이 언제나처럼 물속에서 빠르게 움직이고 있었다. 연못 물은 이상이 없었고 지금도 그 물은 괜찮다. 그 물은 아마도 골짜기 지하 깊은 곳에서 나오는가 보다. 나는 늘 그 연못에서 물고기를 잡아먹는다. 물고기들이 입질을 하지 않는 한겨울을 제외하면 그게 내가 먹는 가장 훌륭한 음식이다.

내일 아침 해가 뜨는 대로 나가 봐야지. 그렇게 결정하고 나니 한심한 걱정이 시작된다. 내 몰골이 어떤지, 내 옷차림이 어떤지. 오늘 아침에 집에 있을 때도 그런 생각을 하면서 평상시에 자주 보지도 않던 거울을 보았다. 나는 청바지를 입고 있는데 남성용 청바지다. (슈퍼마켓에 청바지가 널렸지만 여자애들 건 없다.) 그래서 바지가 잘 맞지도 않고 헐렁하다. 거기다가 남성용 셔츠를 입고 남자애들이 신는 테니스화를 신고 있다. 그다지 우아한 옷차림이라고 말할 수는 없는 데다 머리 모양도 세련된 스타일은 아니다. 턱 선에 맞추어 내가 직선으로 잘랐다. 한동안은 학교 다닐 때 하던 식으로 안으로 말기도 했지만 시간이 많이 걸렸고 어차피 나 말곤 봐 줄 사람도 없었다. 그래서 지금 내 머리카락은 곧게 뻗었고 들판에서 많은 시간을 보낸 탓에 머리색도 옅어졌다. 옛날처럼 내 몸이 비쩍 마른 것 같진 않지만 이렇게 헐렁한 옷을 입고 있으니 그것도 알 길이 없다.

하지만 고민이 된다. 드레스를 입어야 하나? 저 사람이 국가에서 보낸 정식 구조반인 경우를 대비해서? 몰래 집으로 들어가 옷을 갈아입을 수도 있을 것이다. 꽤 괜찮은 바지 한 벌이 있긴 한데…… 그것 말고 다른 건 전부 다 너무 낡았다. 전쟁이 난 뒤로는 한 번도 드레스를 입은 적이 없다. 드레스를 입으면 나무에 올라가기가 힘들다. 그런대로 봐 줄 만한 바지로 갈아입는 것 정도로 만족해야지.


## 5월 24일

그는 남자고 한 명이다.

오늘 아침, 계획을 실행에 옮겼다. 괜찮은 바지로 갈아입고 22구경 총을 챙긴 다음 쌍안경을 목에 걸었다. 나무에 올라가 도로를 따라 걸어오는 그의 모습을 보았다. 그의 외모를 똑똑히 볼 수는 없었다. 그는 초록색 비닐 옷 같은 것으로 몸을 완전히 감

24

싸고 있었다. 머리까지 감쌌는데 눈이 있는 부분은 투명한 유리 마스크로 덮었다. 마치 차가운 물에 들어갈 때 입는 방수복 같았다. 단지 방수복보다는 헐렁하고 부피가 더 컸다. 스킨다이버들처럼 그도 등에 산소통을 메고 있었다. 얼굴이 보이지 않아도 체격이라든가 걸음걸이로 보아 그가 남자란 걸 알 수 있었다.

그가 천천히 걷는 이유는 수레를 끌며 걷기 때문이다. 수레의 크기는 자전거 바퀴 위에 커다란 트렁크를 얹어 놓은 크기다. 수레 위도 그의 옷과 똑같은 초록색 비닐을 덮었다. 무거운 수레를 끌고 언덕을 올라오느라 고생이 이만저만이 아니다. 그는 몇 분 간격으로 휴식을 취했다. 언덕 꼭대기까지는 아직 15미터 정도가 남았다.

앞으로 어떻게 할지 결정을 내려야 한다.

# 셋

5월 24일 (같은 날)

밤이다.

그가 우리 집에 들어갔다.

집 안에 들어간 건 아닐 수도 있다. 집 밖에, 조그만 텐트 속에
있는지도 모른다. 너무 어두워서 잘 보이지 않는다. 나는 동굴에
서 그를 지켜보고 있다. 그가 집 앞에 피워 놓은 모닥불은 다 타
버렸다. 그는 내가 팬 장작으로 불을 지폈다.

오늘 오후 그가 버든 언덕을 넘어왔다. 나는 그를 지켜보려고
동굴로 돌아와 점심을 조금 먹은 다음 도로 청바지로 갈아입었
다. 일단은 내 모습을 보이지 않기로 했다. 나중에라도 얼마든지

26

마음을 바꿀 수 있으니까.

언덕 꼭대기에서 그가 어떻게 할지 무척 궁금했다. 아마도 그
는 완전히 확신할 수는 없었겠지만 이 골짜기에 뭔가 살아 있는
게 있다는 것 정도는 짐작할 수 있었을 것이다. 앞서도 말했던
것처럼, 산꼭대기에서 골짜기의 초록빛이 보이긴 해도 아주 잘
보이진 않는다. 워낙 먼 거리니까. 어쩌면 그는 전에도 몇 번 속
았을 수도 있다. 그래서 신기루라고 생각했을지도 모른다.

도로가 언덕 꼭대기에 이르는 순간부터 약 100미터 정도 평
지가 이어지다가 골짜기로 들어오는 내리막길이 시작된다. 언
덕 위 평지를 반 정도 지나면 우리 골짜기가 한눈에 들어온다.
시내, 집, 헛간, 나무들, 초원까지 전부 다. 집을 떠났다 돌아올
때면 내가 가장 좋아했던 풍경이다. 아마도 그 풍경을 보는 순간
이제 집에 다 왔다는 생각이 들었기 때문일 것이다. 더구나 지금
은 봄이라 세상이 온통 싱그러운 초록빛이다.

그곳에 이르러서 그는 멈추어 섰다. 그는 수레 손잡이를 내려
놓고 그 자리에 서서 골짜기를 한참 동안 바라보았다. 그러다가
갑자기 비닐 옷 때문에 둔하게 움직이면서도 양팔을 흔들며 내
리막길을 달리더니 도로변의 나무 쪽으로 다가가 나뭇잎을 따
서 유리 마스크에 가까이 대었다. 무슨 생각을 하는지 알 것 같
았다. 이게 진짜 나뭇잎인가?

나는 동굴이 있는 산 중턱에서 조금 더 위쪽으로 올라가 숲

속 오솔길에 서서 그를 바라보고 있었다. 옆에 총을 두고서. 얼굴에 마스크를 쓰고 있는 상태에서 그가 소리를 들을 수 있을지 알 수 없지만 움직이지도, 소리를 내지도 않았다.

갑자기 그가 목 부분을 풀고 마스크를 당겼다. 마치 마스크를 벗으려는 듯이. 그때까지도 나는 평평한 유리면만 보았을 뿐 그의 얼굴을 보지 못했기 때문에 그를 주시했다. 그는 마스크를 벗다 말고 다시 수레 쪽으로 달려가 수레를 덮은 비닐 덮개 한쪽 끝을 끄르고 덮개를 젖혔다. 그는 수레 안에 손을 넣더니 유리로 만든 무언가를 꺼냈다. 유리관 안에 철제 막대가 들어 있는, 마치 커다란 온도계처럼 생긴 물건이었다. 유리관에 다이얼이나 눈금이 있는 것 같았지만 내가 있는 곳에선 확실히 알 수가 없었다. 그는 유리관을 마스크 앞에 대고 천천히 돌리며 살펴보았다. 그리고 유리관을 바라보며 다시 도로변 나무 쪽으로 걸었다. 그는 도로 아스팔트 위에 유리관을 대었다가 다시 공중에 높이 쳐들었다. 그리고 다시 수레로 돌아갔다.

그는 또 다른 장비를 꺼냈다. 처음 것과 비슷하게 생겼지만 조금 더 컸다. 그러고는 검고 둥근 무언가를 또 꺼냈다. 전선이 연결된 이어폰이었다. 그는 전선을 기계에 꽂고 이어폰을 마스크 위로, 귀 옆에 갖다 댔다. 무얼 하려는지 알 것 같았다. 그는 다른 기계로 한 번 더 확인하는 중이었다. 무슨 기계일지 짐작이 갔다. 본 적은 없지만 그런 기계가 있다는 기사를 본 적이 있었다. 방사능을 측정하는 기계로 '가이거 측정기'라고 부른다. 그는 도로를 따라 이번에는 꽤 한참을, 적어도 1킬로미터 정도를 걸어오면서 측정기를 보고 이어폰으로 소리를 확인했다.

그러더니 마침내 마스크를 벗고 소리를 질렀다.

그 소리에 나는 놀라 펄쩍 뛰었다. 나는 도망치려다가 멈추었다. 그러나 그는 날 보고 소릴 지른 게 아니었다. 신이 나서 "야호!" 하고 소리를 지른 것이었다. 마치 축구 경기를 볼 때처럼. 다행히 그는 내가 낸 소리를 듣지 못했다. 그의 목소리가 골짜기에 울려 퍼졌고 나는 그 자리에 얼어붙고 말았다. 그러나 내 심장은 방망이질을 했다. 이따금 노래 부를 때 내 목소리를 들은 것 말고는 사람 목소리를 들은 게 너무도 오랜만이었다.

대답 대신 침묵이 흘렀다. 그는 다시 손을 입가에 모으고 소리를 질렀다. 골짜기 아래쪽을 향해서. 이번에는 아주 크게 소리를 질렀다.

"거기 누구 있나요!"

다시 메아리가 울려 퍼졌다. 메아리가 잦아들자 이상하게도 지금까지보다 더 고요해진 것 같았다. 침묵에 익숙해지면 어느 순간부터 침묵을 의식하지 않게 된다. 그러나 그의 목소리는 듣기 좋고 우렁찼다. 그 순간 나는 마음을 바꿀 뻔했다. 느닷없이 밀려드는 격한 감정이었다. 나는 비탈을 내달려 숲에서 뛰쳐나가 "나 여기 있어요!"라고 소리치고 싶었다. 울고 싶었고 그의

29

얼굴을 만지고 싶었다. 그러나 얼른 마음을 다잡고 가만히 있었다. 그가 다시 돌아섰고 나는 쌍안경으로 그를 관찰했다. 그는 다시 수레로 돌아가고 있었다. 마스크를 후드처럼 목 뒤에 늘어뜨린 채로.

그는 턱수염이 있었고 머리는 길고 짙은 갈색이었다. 가장 눈에 띄는 건 유난히 창백한 피부였다. 나는 어느덧 구릿빛으로 변한 내 팔과 다리에 익숙해져 있었지만, 언젠가 하루 종일 지하에서 일하는 광부들의 사진을 본 적이 있었다. 그는 꼭 그 광부 같았다. 어렴풋이 보이는 그의 얼굴은 좁고 길었고 코가 꽤 컸다. 긴 머리카락, 턱수염, 창백한 피부 때문에 거칠어 보이면서도 어딘가 시적인 분위기를 풍긴다는 걸 인정하지 않을 수 없었다. 그리고 그다지 건강해 보이진 않았다.

그는 우리 집이 있는 쪽을 어깨 너머로 여러 번 흘금거리며 다시 수레로 돌아갔다. 아마 이런 생각을 했을 것이다. 누군가 있긴 있는 것 같은데…… 어쩌면 내 목소리를 못 들은 걸 수도 있어. 그의 짐작은 옳았다. 언덕 꼭대기에서 집까지는 거의 1.5킬로미터 거리였다. 그는 장비 하나를 다시 수레 짐칸에 넣었다. 그리고 아주 의외의 행동을 했다. 총 한 자루를 꺼내 마치 언제든 쓸 수 있게 가까이 두겠다는 듯 비닐 덮개 위에 올려놓았다. 이어폰이 달린 측정기도 밖에 두었다. 그리고 마침내 그가 수레 손잡이를 들고 언덕길을 내려오기 시작했다. 경사가 가팔라지자 수레의 방향을 틀어 앞에 놓고 뒤에서 손잡이를 잡았다. 15미터 정도를 걸을 때마다 매번 수레를 옆으로 돌리고 멈추어 서서 이어폰을 꽂고 소리를 들었다. 그리고 누가 있는지 두어 번 더 소리쳐 물었다.

천천히 걸었지만 그는 (내 시계로) 5시가 되기 전에 언덕길을 내려왔고 집에 도착할 무렵에는 어느덧 황혼이었다. 나는 숲길을 통해 동굴로 돌아왔고 쌍안경으로 계속 그를 관찰했다. 나는 지금도 동굴에 있다.

집 앞에 도착하자 그가 수레를 앞뜰에 세워 놓았다. 풀을 깎지 않길 잘했다. 지난여름 깎을 엄두를 아예 못 내서 풀이 어느덧 무릎 길이로 자랐고 잡초도 무성했다. 그때부터 그는 아주 이상하게 행동하기 시작했다. 그는 극도로 조심하며 움직였다. 바로 문으로 들어가는 대신 창문마다 돌아다니며 안을 기웃거렸다. 그는 마치 두렵다는 듯, 아니면 눈에 뜨이고 싶지 않다는 듯 경계하는 모습이었다. 마침내 문으로 다가가서 그가 또 한 번 소리를 질렀다.

"아무도 없어요?"

이번에는 좀 더 작은 소리였다. 대답을 듣지 못하리란 걸 이미 아는 것 같았고 전에도 겪은 일인 것 같았다. 그는 노크를 하지 않고 문을 열고는 집 안으로 들어섰다. 그때부턴 내가 긴장하기 시작했다. 혹시 흔적을 남기진 않았는지. 물을 따랐다가 반쯤 남겨 놓진 않았는지. 선반에 달걀 하나를 남겨 두진 않았는지. 온갖 생각들이 머리를 스쳤다. 그중 하나만으로도 내 존재가 들통 날 것이다. 그러나 그랬을 것 같진 않았다.

20분쯤 지난 뒤 그가 밖으로 나왔다. 조금 당혹스러운 표정이었다. 그는 문간에 서서 도로 쪽을 바라보며 생각에 잠겼다. 그는 도로 쪽으로 걸어가다가 이내 마음을 바꾸었다. 아마도 교회나 슈퍼마켓으로 바로 가 볼 생각이었을 것이다. 집에선 보이지 않지만 언덕 꼭대기에서 분명히 보았을 테고 위치도 알았을 것이다. 그는 하늘을 쳐다보았다. 해가 져서 어둑어둑해지고 있었다. 그는 수레의 비닐 덮개를 걷고 몇 가지 물건을 꺼냈다. 그리고 묵직한 사각형 모양의 물건을 꺼내 펼치기 시작했다. 텐트였다.

부엌 창문을 통해 내가 쌓아 놓은 장작더미를 미리 보아 둔 게 분명했다. 텐트를 치자마자 집 뒤쪽으로 돌아가서 장작을 가져와 모닥불을 지핀 걸 보면 말이다. 불을 지핀 뒤에는 수레에서 몇 가지 물건을 더 꺼냈다. 이미 완전히 어두워져서 모닥불의 불빛만으로 똑똑히 보이진 않았지만 그가 먹을 걸 만들고 있다는 것 정도는 알 수 있었다. 식사를 마치고 난 뒤 그는 모닥불이 잦아들 때까지 한참을 불가에 앉아 있었다.

앞서 말했던 것처럼 잘 보이진 않지만, 그러고 나서 그는 텐트 안으로 들어간 것 같다. 지금은 잠이 들었나 보다. 집 안에서 잘 수도 있었을 텐데. 아무래도 우리 집을 못 믿는 것 같다. 초록색 비닐이, 바로 그의 옷과 텐트와 비닐 덮개가 방사능을 차단하는 게 분명하다.

이제 나도 동굴로 들어가 잠을 청해 볼 생각이다. 나는 아직 두렵다. 하지만 골짜기 안에 나 말고 다른 누군가가 있다는 게, 글쎄, 뭐라고 표현해야 할지 모르겠지만 조금 든든하다는 생각도 든다.


## 5월 25일

그가 실수를 저지른 걸 수도 있다. 확실히는 모르겠다. 만약 실수를 저지른 거라면, 얼마나 끔찍한 걸까. 걱정스럽다. 왜냐하면 어떻게든 내가 막을 수도 있었던 일이기 때문이다. 그러나 그러려면 내 모습을 드러낼 수밖에 없었다.

오늘 아침 머리를 숙이고 동굴에서 조심조심 기어 나와 보니 그가 이미 깨어 있었다. 이제 막 해가 떠오르기 시작하고 있었는데도. 그는 텐트를 접어 다시 수레에 넣었다. 그리고 순식간에 여러 가지 일들이 한꺼번에 일어났다.

먼저, 닭장 뒤쪽 어딘가에서 암탉 한 마리가 울었다. 물론 알을 낳는 소리였다. 그와 거의 동시에 수탉이 울었다. 그리고 마치 그 소리에 화답이라도 하듯 소가 음매 하고 울었다. 낮고 길고 우렁찬 소리였다. 그는 들고 있던 냄비를 떨어뜨리며 펄쩍 뛰고는 가만히 귀를 기울였다. 자기 귀를 믿을 수 없다는 듯 놀란 표정으로. 아마 1년 넘게 동물 울음소리를 못 들어 봤을 것이다.

그는 한동안 그 자리에 서서 귀를 기울이고 주위를 둘러보며 생각에 잠겼다. 그러더니 갑자기 분주해졌다. 그는 작은 방사능 측정기를 꺼내 눈금을 들여다보았다. 여전히 비닐 옷을 입고 있었지만 마스크는 쓰고 있지 않았다. 먼저 손목 부분을 풀더니 끼고 있던 장갑을 벗었다. 그리고 수레 안쪽에서 커다란 총을 한 자루 꺼냈다. 아래쪽에 네모난 탄창이 튀어나와 있는 것으로 보아 군인들이 쓰는 카빈총 같았다. 그는 그 총을 잠시 바라보다가 도로 수레에 집어넣고 텐트에 있던 조그만 총을 집어 들었다. 내 총과 똑같은 22구경이었지만 내 것이 펌프 연사식인 반면 그의 총은 수동 노리쇠 방식이었다. 그는 그 총을 들고 닭장으로 향했다.

물론 닭장엔 닭이 없었다. 내가 닭장 문을 열고 닭들을 쫓아 버렸으니까. 그런데 몇 마리가 그 주위에 남아 있었던 모양이다. 그럴 줄 알았다. 내가 먹이를 거기서 주었기 때문이다. 닭장 앞에 있는 그의 모습은 보이지 않았다. 집과 울타리 사이에는 라일락과 개나리가 우거져 있었다. 머지않아 총소리가 들렸고 잠시 후 그가 죽은 닭 한 마리를 들고 돌아왔다. 내 닭인데!

그를 탓할 수만은 없었다. 수레에 어떤 음식을 싣고 다녔는지 몰라도 신선한 고기는 아니었을 것이다. 신선한 그 무엇도 아니었을 것이다. 닭을 보는 순간 그가 얼마나 허기졌을지 이해가 간다. (며칠 후엔 아마 나도 같은 생각을 하게 될 것이다.) 그러나 집에서 기르는 가축을 향해 총을 쏘는 건 옳지 않다. 나도 닭을 잡아먹지만 총을 쏜 적은 한 번도 없다. 전쟁 이전에도 그랬다.

그는 닭을 수레 위에 올려놓고 털을 뽑거나 씻지도 않고 곧장 교회와 슈퍼마켓, 그리고 소들이 있는 들판 쪽으로 걷기 시작했다. 권총과 유리관 측정기도 챙겼다.

나는 적어도 첫날 하루 정도는 최대한 그를 관찰하여 그의 성향을 파악해 두는 게 좋다고 생각했다. 그래서 산비탈을 약 3분의 2 지점까지 올라가야 있는 숲 속 오솔길을 따라 또다시 그를 쫓아갔다. 나무들 때문에 어느 지점부터는 도로가 시야에서 사라져 버리는 동굴 입구에서보다 그를 똑똑히 볼 수 있었다. 나도 쌍안경과 권총을 챙겼다.

헛간을 지나고 울타리를 지나자마자 그는 곧바로 소들을 보았다. 소들은 들판 저 멀리 연못가에 있었다. 원래는 아빠가 귀리를 심던 자리였지만 다행히 지난봄에 아빠는 목초로 바꾸어 심었다. 소들은 조용히 풀을 뜯고 있었고 송아지도 그 틈에 있었다. 울타리 안에 가두지 않았는데도 예상했던 대로 녀석들은 근처에 머물고 있었다. 낯선 사람을 보고 녀석들이 달아났지만 멀리 가진 못했다. 소들은 사람을 꽤 잘 알아보는 편이지만 그렇다고 해서 그다지 예민하지도 않았다.

그는 소들을 쫓다가 마음을 바꾸어 연못 쪽으로 다가가 물속을 들여다보았다. 처음엔 몇 발짝 떨어져서 보다가 이내 신기하다는 표정으로 무릎을 꿇고 수면에 얼굴을 들이댔다. 피라미들을 보았을 것이다. 연못 가장자리에는 항상 피라미들이 모여 있다. 그는 유리관을 수면 가까이 대어 보았다가 결국 한쪽 끝을 물속에 담갔다. 그는 한 손으로 물을 떠서 맛을 보았다. 물맛이 괜찮다는 걸 나는 안다. 나는 그가 있는 자리의 반대편 끝에서 길어 마시지만 어쨌든 나도 그 물을 길어 마신다. 그는 환호성을 지르고 싶은 기분일 것이다.

그러고 나서 그는 계속 걸었다. 교회 쪽으로. 그리고 거기서 몇 분을 머물렀다. 슈퍼마켓에서도 한참을 더 머물렀다. 안에서 무얼 했는지는 알 길이 없다. 아마 매장을 둘러보고 방사능을 측정했을 것이다. 그는 상자를 하나 들고 슈퍼마켓을 나섰다. 아마 통조림들일 것이다. 그는 더 멀리 가지 않고 곧장 집으로 향했다. 상자 하나와 권총, 그리고 방사능 측정기까지 짐을 잔뜩 이고서.

집으로 돌아오는 길에 한 번, 그가 갑자기 상자를 내려놓고 길가의 수풀을 향해 총을 쏘았다. 토끼를 보았을 것이다. 우리 골짜기엔 토끼들이 꽤 있다. 다람쥐도 몇 마리 살고 이 골짜기에 남아 있어야 한다는 걸 감지한 까마귀 몇 마리도 있다. 다른 새들은 평상시처럼 돌아다니다가 죽음의 땅으로 날아가서 죽었다. 보아하니 그가 토끼를 놓친 모양이었다.

11시가 거의 되었다. 해가 높이 떠서 환하게 빛났고, 날씨가 더워졌다. 비닐 옷을 입고 짐을 잔뜩 든 그는 무척 더워 보였다. 그는 중간에 두 번 상자를 내려놓고 쉬었다. 바로 그 더위 때문에 집으로 돌아오는 길에 그는 큰 실수를 저질렀다. 죽음의 물버든 시내에서 수영을 하고 목욕을 한 것이다.

그는 수레에 상자를 내려놓고는 상자에 든 물건들을 꺼냈다. 짐작했던 대로 통조림들이었다. 거기서 비누도 꺼냈다. 파란 포장지를 보면 알 수 있었다. 그러고 나서 그는 놀랍게도 비닐 옷을 벗었다. 앞지퍼를 내리고 발목까지 옷을 내린 다음 밖으로 나왔다. 비닐 옷 속에 그는 위아래가 붙은, 얇은 파란색 작업복을 입고 있었다. 등과 팔이 땀에 젖어 있었다.

그때까지 그토록 조심했던 그는 그 순간부터 갑자기 방심했다. 왜 그랬는지 알 것 같았다. 이 골짜기의 지형을 잘 몰랐던 그는 시내와 연못이 하나의 물줄기라고 판단했던 것이다. 골짜기에 두 개의 서로 다른 물줄기가 있다는 걸 그는 몰랐고 더구나 연못에서 물고기도 보았다. 무척 더웠을 테고, 아주 오랫동안 목욕도 못 했을 것이다. 그래서 그는 비누를 들고 시내로 달려갔다. 그리고 작업복을 벗은 다음 물속으로 뛰어들었다. 조금만 침

37

착했더라면 그 안에 물고기가 없다는 걸 알았을 텐데. 시냇가 반경 5미터 내의 모든 풀이 말라죽은 것도 보았을 텐데. 시내 부근의 나무 몇 그루도 죽어 가고 있었다. 그러나 그는 보지 못했다. 비누를 들고 물에 들어가 꽤 한참을 있었다.

그게 얼마나 치명적인 실수인지 나는 모른다. 그 물이 정확히 뭐가 잘못된 건지 잘 모르기 때문이다. 시냇물은 골짜기 아래쪽에서 연못 물과 합쳐지면서 골짜기의 틈새로 빠져나간다. 시간이 흐르면 시냇물도 괜찮아지지 않을까 하는 생각에 두 물줄기가 합쳐지는 하류에도 몇 번 가 보았지만, 그곳 역시 죽은 물이었다. 물고기는 한 마리도 없었고 설령 있다고 해도 죽어서 둥둥 떠다녔다.

유리관 측정기로 측정해 보았다면 그 물이 방사능에 오염되었다는 걸 알았을 것이다. 그러나 나도 확실히는 알 수 없다. 전쟁이 끝날 무렵, 라디오에서 적군이 신경가스와 박테리아, 그 외의 '인명 살상 무기'를 사용하고 있다는 소식을 전했다. 그게 어떤 무기를 말하는 건지 나로서는 알 길이 없다. 내가 할 수 있는 일이라고는 그저 두고 보는 것뿐이다. 부디 그것 때문에 그가 죽지 않기를.

# 넷

## 5월 25일 (같은 낮)

다시 밤이다. 나는 아직도 램프 하나만 켜 놓고 동굴 안에 있다.

있을 수 없는 일이 일어났다. 우리 개 파로가 돌아온 것이다. 어떻게 된 영문인지 나도 모른다. 도대체 어디 있었던 걸까. 어떻게 살아남았을까. 파로는 해골처럼 말랐고 왼쪽 옆구리 털이 반은 빠졌다.

파로는 데이비드가 기르던 개라고 이미 앞서 말했을 것이다. 녀석은 데이비드와 함께 우리 집에 왔다. 5년 전 데이비드의 아빠가 세상을 떠난 뒤 고아가 된 데이비드가 우리 집으로 들어오면서 데리고 왔다. (데이비드의 엄마는 데이비드를 낳다가 죽었

39

다.) 조지프와 데이비드는 6개월 차이가 나는 동갑이라 아주 친하게 지냈다. 사실 우리 셋이 모두 친했다. 그러나 파로는 데이비드의 개였기 때문에 데이비드가 가지 않으면 우릴 따라오지 않았다. 잡종이었지만, 아니 잡종이지만 사냥개이기도 해서, 사냥을 좋아했다. 우리가 사냥을 갈 때면, 총을 꺼내는 것만 봐도 신이 나서 날뛰었기 때문에 사냥감을 보면 천연덕스럽게 그 자리에 서서 꿈쩍도 안 한다는 게 믿기지 않지만 녀석은 늘 그랬다. 아주 훌륭한 사냥개였다. 그래서 데이비드가 우리 아빠, 엄마와 떠나고 나서 한참 후 파로가 사라졌을 때 나는 녀석이 데이비드를 찾아 나섰을 거라고 생각했다. 골짜기를 지나 죽음의 땅으로 들어갔을 거라고. 죽음의 틈새로 빠져나갔을 거라고. (파로는 전에도 데이비드가 탄 트럭을 쫓아간 적이 있어서 우리가 줄로 묶어 놓곤 했다.) 그런데 보아하니 골짜기 밖으로 나가진 않은 게 분명했다. 아마도 인근 숲 속에 머물면서 되는 대로 이것저것 잡아먹으며 데이비드가 돌아오길 기다렸나 보다.

파로는 아마도 두 번의 총성을 들었을 테고 그래서 돌아왔을 것이다. 나는 계속 시간을 확인했다. 1시 반경, 남자가 파란색 작업복 차림으로 수레에서 꺼낸 칼로 닭을 손질한 다음 직접 만든 꼬챙이에 끼워 불에 구웠다. 비닐 옷은 다시 입지 않았다. 파로가 조심스럽게 다가가 멀찌감치 앉아 그를 바라보며 킁킁거렸다. 마침내 고개를 들고 파로를 처음 본 순간 그는 꼬챙이 돌리기를 멈추고 한동안 가만히 녀석을 쳐다보았다. 그러다가 그가 파로 쪽으로 한 발짝 다가갔고 파로가 뒷걸음질 쳤다. 남자는 쭈 그리고 앉아 무릎을 두드리고 휘파람을 불며 파로를 달랬다. 휘 파람 소리는 들렸지만 무슨 말을 하는지 알아들을 수가 없었다. 어쨌든 파로를 부르고 있는 것만은 분명했다. 그는 파로와 친해 지고 싶어 했다. 그가 다시 파로에게 다가섰고 파로는 뒷걸음질 치며 그와 간격을 유지했다.

남자는 포기하고 다시 모닥불로 돌아갔다. 언뜻 포기한 것처 럼 보여도 완전히 포기한 것 같진 않았다. 그에겐 나름 생각이 있었다. 사실 아주 단순한 생각이었다. 그는 파로가 아직 그 자 리에 있는지 수시로 확인했다. 닭고기가 다 익자 집에서 접시 두 개를 들고 나왔다. (내 접시들인데!) 그는 닭고기를 한 점 크게 잘라 내고 통조림 하나를 따서 고기 비슷한 내용물을 꺼냈다. 그 는 닭고기와 통조림 고기가 담긴 접시를 들고 개가 처음 있던 자 리에 내려놓았다.

그러고는 무심히 닭고기를 칼로 잘라 수레에서 꺼낸 건빵 같 은 것을 곁들여 식사를 시작했다. (내가 신선한 옥수수빵을 줄 수도 있는데.) 그는 닭 한 마리를 놀라운 속도로 먹어치웠고 그 동안 곁눈질로 계속 개를 관찰했다. 파로는 그의 눈치를 살피며 접시 쪽으로 슬금슬금 다가왔다. 남자를 한 번 보고, 접시를 한 번 보고, 또 남자를 한 번 보고. 마침내 접시 앞까지 와서 접시에서 최대한 멀찌감치 떨어져 목을 길게 빼고는 닭고기를 물어 채서 2미터 정도 뒤로 물러났다. 파로는 단 두 입에 닭고기를 전부 먹어치웠고 남은 고기를 가지러 접시로 돌아가서 이번에도 똑같이 했다.

고기를 다 먹고 난 뒤에도 파로는 다시 돌아가 접시를 핥았고 여전히 거리를 유지하면서도 그의 주위를 맴돌며 킁킁거렸다. 파로는 집 주위를 두 바퀴 돌았다. 그러더니 놀랍게도 예전에 산책할 때처럼 꼬리를 흔들다가 동굴 쪽으로 이어진 비탈길을 달려오기 시작했다. 내 발자국을 찾은 것이다.

파로가 달려간 방향을 보면서 그도 요란하게 휘파람을 불며 쫓아왔다. 그러나 파로는 곧바로 그의 시야에서 사라졌고 남자도 몇 발짝 쫓아오다 그만두었다. 다행히 집과 동굴 사이에는 나무와 덤불숲이 많았기 때문에 파로가 어디로 가는지 그가 보지 못했을 거라 거의 확신할 수 있었다. 나는 얼른 동굴 안으로 기어 들어왔고 파로가 곧장 뒤따라왔다.

가엾은 파로. 꼴이 말이 아니었다. 직접 보니 쌍안경으로 보았을 때보다 훨씬 더 참혹했다. 그는 짧게 두어 번 짖고 내게 안겼다. 그러나 나는 두려웠다. 만약 파로를 동굴에 머물게 하면 결국 녀석은 날 배신할 것이다. 나는 어떻게 해야 할지 몰라 너무 다정하게 대해 주지 않으려 애썼다. 나지막이 "착하지, 파로."라고 속삭였지만 마음 내키는 대로 와락 끌어안지는 않았다. 나는 파로를 좋아하고 파로도 날 좋아하지만, 파로가 찾고 있는 건 내가 아니었다. 우리 셋은 동굴에 수도 없이 놀러 왔었기 때문에 파로는 동굴 안에서 쿵쿵거리고 뛰어다니며 데이비드를 찾고 있었다. 데이비드가 없는 걸 확인한 뒤 파로는 돌아서서 산 아래 집으로 돌아갔다.

골치 아픈 일이었다. 그곳에 남자와 접시와 음식이 있기 때문이었다. 만약 남자가 파로와 친구가 되면 파로는 그의 휘파람 소리에 달려갈 것이다. 데이비드에게 그랬던 것처럼. 남자는 파로를 곁에 둘 것이고 결국 파로를 따라 이곳에 올 것이다.

그런 상황이 벌어지는 걸 두려워하는 건 뭔가 잘못된 것 같다. 그러나 그가 내게 무슨 짓을 할지 나는 모른다. 나는 대체로 사람을 좋아하는 편이다. 학교에서도 친구가 많았다. 그러나 그땐 선택이 가능했다. 좋아하지 않는 애들도 있었고 모르는 애들도 있었다. 그러나 이 남자는 어쩌면 지구상에 남아 있는 유일한 사람일지도 모른다. 그런데 나는 그를 모른다. 만약 그가 마음에 안 들면 그땐 어떻게 해야 할까. 그보다 더 끔찍한 건, 혹시 그가 날 싫어하면 그땐 어떻게 해야 할까.

근 1년 가까이 여기서 혼자 살았다. 그동안 누군가 와 주기를 바라고 또 기도했다. 얘기를 나눌 사람, 이 골짜기의 미래를 의논할 사람이 있으면 좋겠다고 생각했다. 그 사람이 남자면 좋겠다고, 그래서 먼 훗날, 물론 어디까지나 꿈같은 얘기지만, 이 골짜기에 아이들이 있으면 좋겠다고 생각했다. 그러나 막상 낯선 남자가 나타나니 내 희망이 얼마나 단순한 것이었는지 깨닫게 된다. 남자도 남자 나름이다. 어떻게든 살아남으려 애쓰던 라디오의 남자는, 절망에 빠져 이기적으로 변한 사람들을 보았다고 했다. 이 남자는 낯선 사람이고 나보다 크고 힘도 세다. 만약 그가 친절한 남자라면, 나는 무사할 것이다. 하지만 만약 그렇지 않다면, 그땐 어떻게 해야 할까. 그는 자기가 하고 싶은 대로 할 것이고 나는 평생 그의 노예로 살아야 할 것이다. 바로 그게 멀리서라도 그가 어떤 사람인지 파악해 보려 애쓰는 이유다.

파로가 동굴에서 나간 뒤 나는 다시 동굴 입구에 서서 집 쪽을 내려다보았다. 남자가 조그만 거울을 앞에 놓고 가위로 머리와 수염을 자르고 있었다. 그는 한동안 그 일에 열중했고 결국 머리와 수염 모두 꽤 짧아졌다. 한결 보기 좋아졌다는 걸 나도 인정하지 않을 수 없다. 거의 미남으로 보일 정도다. 거울로 볼 수 없는 뒤통수의 머리카락이 조금 비뚤게 잘리긴 했지만.


## 5월 26일


어제처럼 화창한 날씨지만 오늘이 조금 더 따뜻하다. 내 달력에 의하면 오늘은 일요일이다. (나는 달력과 자명종을 동굴로 가져왔다.) 평상시 같으면 아침에 교회를 다녀와 쉬고 있을 시간이다. 가끔 낚시를 할 때도 있었다. 실용적인 휴식이라고나 할까. 교회에 갈 때는 성경을 들고 간다. 봄이나 여름엔 제대 위에 올려놓을 꽃을 들고 가기도 한다. 물론 예배드리는 시늉을 하진 않는다. 그냥 가만히 앉아서 성경을 읽는다. 때로는 내가 선택해서 시편이나 전도서를 읽을 때도 있고, 아무 데나 펼쳐 읽을 때도 있다. 한겨울엔 거의 가지 않는다. 난방이 되지 않아 앉아 있기가 너무 춥다.

그 교회는 실제로 예배가 거행되었던 적도 없고 목사가 있었던 적도 없다. 적어도 우리가 살던 시기엔 없었다. 오래전 우리 조상들이 세운 아담한 교회였다. '초기 버든 시대'라고 아빠는 말하곤 했다. 그들이 이 골짜기에 처음 정착했을 땐 머지않아 마을이 생길 거라고 생각했을 것이다. 그러나 마을은 끝내 생기지 않았다. 그로부터 오랜 세월 도로가 나지 않고 비포장도로만 있었기 때문이다. 그때만 해도 도로는 오그덴타운을 지나 교차로에서 끝났다. 교회에 가는 날이면 오그덴타운으로 차를 몰고 나가곤 했다.

그러나 오늘 아침 나는 그 모든 걸 잊어야 했다. 남자가 일찌감치 일어나 아침을 만들어 먹고 여전히 불가에 앉아 있었기 때문이다. 민첩하고 용의주도한 사람 같았다. 뭔가 계획이 있는 것 같았고 얼마 후 나는 그 계획이 뭔지 알 수 있었다. 그는 이 골짜기 전체를 샅샅이 둘러보고 그 너머를 살펴볼 생각이었다. 그는 아직 녹색 식물이 어디까지 자라 있는지 몰랐다.

출발하기 전 그는 통조림 고기를 파로의 접시에 조금 더 덜어 놓았다. 파로는 어디 있는지 보이지 않다가 그가 길을 나서자 때마침 헛간에서 뛰어나와 고기를 먹고 그를 따라나섰다. 파로는 그를 따라가고 싶은 눈치였지만 그가 권총을 들고 있는 것을 보고 움츠러들었다. 파로는 결국 100미터 정도 쫓아가다 말고 되돌아와 다시 접시에 코를 박고 킁킁거리다가 텐트에서 멀지 않은 곳에 드러누웠다.

나는 키 큰 나무가 우거진 숲길로 그의 뒤를 밟았다. 머지않아 그는 이 숲도 훑을 것이고 그렇게 되면 나는 골짜기 반대편으로 건너가야 할 것이다. 경계를 늦추어선 안 된다. 그가 숲에 들어오면 나도 그의 모습을 쉽게 볼 수 없을 테니까.

그러나 오늘 그는 도로에서 벗어나지 않았다. 비닐 옷을 안 입었기 때문에 걸음이 한결 빨랐고 나는 그의 속도를 따라잡으려 애썼다. 숲길은 도로만큼 땅이 고르지 않아서 소리를 내지 않으려면 조심해야 했다.

슈퍼마켓에 이르자 그가 안으로 들어갔다. 다시 슈퍼마켓을 나서는 그의 모습을 보고 나는 깜짝 놀랐다. 하마터면 못 알아볼 뻔했다. 후줄근한 작업복을 벗고 새 옷으로 갈아입었다. 단정한 카키색 바지에 파란색 셔츠를 입고 새 신발을 신고 밀짚모자도

썼다. (다 내 옷들인데!) 전혀 딴 사람 같았고 썩 근사했다. 머리와 턱수염을 자르고 깨끗한 옷으로 갈아입으니 훨씬 젊어 보였다. 물론 그래도 나보단 훨씬 나이가 많지만. 서른에서 서른둘 정도 되어 보였다.

그는 길을 따라 골짜기의 남쪽 끝으로, 골짜기 틈새 쪽으로 걸었다. 주위의 모든 것에 호기심을 느끼는 듯 두리번거리며 걸었지만 물이 빠져나가는 지하 배수로에 이를 때까지 걸음을 늦추지 않았다. 연못으로 흘러들었다가 다시 빠져나오는 물줄기는 초원을 가로지르다가 솟아나온 곳(내 생각에는 그곳이 골짜기 끝의 시작 같다.)에 가로막히며 오른쪽으로 틀어져서 버든 시내의 물줄기와 합쳐진다.

그는 그곳에서 멈추어 섰다. 그제야 그의 머릿속에 처음으로 계곡 안에 두 개의 서로 다른 물줄기가 있고 연못 물이 버든 시내의 물과 다르다는 깨달음이 밀려든 것 같았다. 그는 그 물을 한참 들여다보았다. 가만히 들여다보면 두 물줄기의 차이는 너무도 분명하다. 나도 여러 번 본 적이 있다. 마지막 몇 센티미터까지도 연못 물에는 생명이 있다. 피라미, 올챙이, 물벌레 그리고 바위의 푸른 이끼까지. 그러나 버든 시내의 물줄기에는 아무것도 없다. 그리고 두 줄기가 합쳐져 골짜기 틈새로 빠져나가는 물은 투명하지만 죽어 있다.

그가 그 모든 걸 한 번에 알아차렸는지는 확실히 알 수 없지만 그는 그 물을 아주 오랫동안 바라보았다. 만약 그 물이 죽음의 물이라는 걸 알았다면 걱정이 밀려들었을 테고 구역질이 났을 것이다. 그리고 조만간 그는 병들 것이다.

걱정을 하는지 어쩐지는 몰라도 잠시 후 그가 일어서서 전처럼 빠르게 걷기 시작했다. 15분 정도 걸어서 골짜기의 끝에 다다랐는데, 거기부터는 죽음의 시작이었다. 골짜기 틈새로 들어가면 아미시 농장으로 이어지는 길이었다.

물론 그것까지 그의 눈에 보이진 않을 것이다. 사실 골짜기의 남쪽 끝에 골짜기 밖으로 나가는 틈새 길이 있다는 건 아는 사람만 알았다. 그 틈새 길은 커다란 S 자 모양으로 생겼기 때문에 그 길에 들어서기 전엔 커다란 바위 벽과 나무로 막힌 것처럼 보인다. 틈새 길은 (그리고 그 옆으로 흐르는 물줄기도) 오른쪽으로 급격하게 휘었다가 다시 왼쪽으로 휘었다가 또다시 오른쪽으로 휘어지면서 언덕길을 오를 필요도 없이 산봉우리를 터널처럼 관통한다.

그 산봉우리 맞은편에는 버든 언덕이 솟아 있기 때문에 그렇게 우리 골짜기는 완전히 고립되어 있다. 사람들은 이 골짜기 안에는 골짜기만의 계절이 따로 있다고 말하곤 했다. 바깥 바람이 계곡 안으로 불어 들지 않기 때문이다.

그가 틈새 길에 이르렀을 때 나는 그만 그를 놓치고 말았다. 내가 있는 산 중턱에서는 그의 모습을 볼 수가 없었다. 그러나 그 길은 겨우 몇백 미터 정도라 머지않아 그가 곧 돌아오리란 걸 알았다. 그 뒤로 펼쳐진 죽음의 땅을 보는 순간 그는 바로 돌아서서 집으로 향할 것이다. 비닐 옷을 입지 않고는 갈 수 없는 곳이다.

나는 햇살을 쬐며 앉아 발아래 펼쳐진 풍경을 바라보며 그를 기다렸다. 곧게 뻗은 좁다란 검은색 도로와 그 옆으로 꼬불꼬불 흐르는 시냇물. 내가 있는 곳에서 가까운, 골짜기 저쪽 편에서 완만한 산등성이를 이루는 숲. 커다란 참나무, 너도밤나무, 그리고 검은 그림자를 드리운 늙은 나무들. 산 위쪽으로는 커다란 회색 바위 절벽이 있다. 우리는 함께 그 바위를 기어오르곤 했다. 막상 가까이 다가가 보면 멀리서 보는 것만큼 깎아지른 경사는 아니다. 어느덧 11시가 되었고 날씨가 한결 따뜻해졌다. 내 뒤로는 달콤한 향을 풍기는 블랙베리 덩굴이 있고 벌들이 꽃 속에서 윙윙거린다. 이럴 때면 새소리가 그립다.

그는 그 틈새 길에서 휴식을 취하며, 혹은 그저 경치를 바라보며 한동안 머물렀다. 다시 모습을 드러낸 건 20분 정도 지난 뒤였으니까. 그는 조금 느린 걸음으로 집으로 향했다.

그리고 반쯤 걸어왔을 때 일이 터졌다. 그가 갑자기 걸음을 멈추고 길 한복판에 주저앉아 구역질을 한 것이다. 그는 한동안 그 자세로 앉아 한 손으로 땅을 짚고 구역질을 했다. 그리고 일어나 다시 걷기 시작했다.

집으로 오는 길에 그는 세 번 더 그런 식으로 주저앉았다. 세 번째 주저앉은 뒤로는 비틀거리며 총을 질질 끌고 걸었다. 그는 돌아오자마자 텐트 안으로 기어 들어갔다. 그리고 다시는 나오지 않았다. 마침내 조금 더 용감해진 파로가 다가가 텐트 입구에서 킁킁거렸고 꼬리까지 조금 흔들며 빈 접시 옆에 앉았다.

그러나 남자는 파로에게 먹이를 주지 않았다. 불을 피우지도 않았고 저녁을 먹지도 않았다. 그래도 내일 아침엔 좀 나아지겠지.

# 다섯

## 5월 27일

아침에 글을 쓴다. 아침 식사를 하고 나서 쌍안경을 들고 동굴 입구에 앉아 집과 텐트 쪽에 인기척이 있나 살펴보고 있다. 아직까진 기척이 없다. 파로가 텐트 쪽으로 다가가 꼬리를 흔들며 뭔가를 기대하듯 잠깐 앉아 있던 걸 제외하면. 아무 일도 일어나지 않자 파로는 집 주위를 한 바퀴 돌고 산비탈을 올라와 내게 왔다. 가엾은 파로. 파로는 배가 고팠고, 이제 집으로 돌아왔으니 누군가 먹이를 줄 거라 기대하고 있었다. 슈퍼마켓에 개 사료가 여러 종류 있지만 가져다 놓은 게 없다. 그래서 나는 옥수수빵 한 쪽, 다진 고기와 감자 통조림을 주었다. 잠깐이나마 파로가 돌아온 걸 기뻐해도 된다는 생각이 들었다. 적어도 남자가 볼까 봐 걱정할 필요가 없으니까. 나는 파로를 쓰다듬어 주고 말을 걸었다. 음식을 먹고 난 뒤 파로는 동굴 입구에서 내 곁에 드러누워 머리를 내 발에 올려놓았다. 그 모습을 보니 왠지 가슴이 찡했다. 그건 파로가 데이비드에게 하던 행동이었고 다른 사람에겐 한 번도 그런 적이 없었다. 그러나 파로는 잠시 후 일어나 산을 내려가더니 집 쪽으로 가서 텐트 입구에 앉았다. 파로는 날 좋아하면서도 남자를 따르는 것 같다.

그러나 남자는 꼼짝도 하지 않았다.

아픈 것 같긴 한데 얼마나 아픈지도 모르겠고 내가 무얼 해야 할지도 모르겠다. 그저 몸이 무거워서 누워 있는 건지도 모른다.

아니면 너무 아파서 아예 일어나지도 못하는 것이거나. 어쩌면 죽어 가는 건지도 모른다.

어젯밤엔 내가 이렇게 걱정할 줄 몰랐는데, 오늘 아침엔 무척 걱정이 된다. 나의 걱정은 일어나기 직전 꾸었던 꿈과 함께 시작되었다. 마치 환상과도 같은 꿈이었다. 반은 잠들어 있고 반은 깨어 있을 때 나는 그런 꿈을 꾸곤 한다. 내가 꿈꾸고 있다는 사실을 의식하면서도 한편으로는 그 꿈을 만들어 간다. 그러나 반만 잠든 상태라 너무도 현실처럼 느껴진다. 나는 텐트에 누워 앓고 있는 남자가 우리 아빠이고 우리 가족이 모두 다시 집으로 돌아온 꿈을 꾸었다. 혹은 그런 환상을 보았다. 너무 기뻐서 숨이

52

가쁠 정도였고 그러다가 잠에서 깨어났다. 누워 있는 상태에서 그 꿈이 현실이 아니란 사실을 깨달았지만 그것 말고도 또 한 가지 깨달은 게 있었다. 나는 그동안 혼자 사는 생활에, 앞으로도 계속 혼자일 거란 생각에 어느 정도 익숙해졌다고 믿었다. 그러나 내가 틀렸다. 나 말고 또 다른 누군가가 있는 지금, 다시 옛날로 돌아간다는 건, 이 집과 골짜기가 다시 텅 비어 버린다는 건, 그리고 이번엔 영원히 그럴 거란 건 생각만 해도 견디기 힘들다.

그래서 비록 그가 낯설고 두렵긴 해도 그가 아픈 게 걱정스럽고 그가 죽을지도 모른다는 생각을 하면 너무도 안타깝다.

이 글을 쓰는 이유는 머릿속을 정리하고 결단을 내리기 위해서다. 일단 오후 늦게까지 기다리고 지켜볼 것이다. 그리고 그때까지 그가 밖으로 나오지 않으면 해가 지기 전에 조용히 내려가 그에게 들키지 않고 그의 상태를 확인해 볼 것이다. 총을 들고서.

## 5월 28일

우리 집 내 방으로 돌아와 있다.

남자는 아직 텐트에서 자고 있다. 그는 대부분의 시간에 잠들어 있고 너무 아파서 일어나지 못한다. 그는 내가 여기 있는 것도 거의 의식을 못 한다.

어제 오후 4시경, 마침내 결단을 내리고 총을 들고 집으로 내려갔다. 집 뒤쪽으로 가서 천천히, 그리고 조용히 걸으며 소리에 귀를 기울였다. 기척이 느껴지는 순간 얼른 몸을 낮추고 동굴로 돌아갈 생각이었다. 앞뜰에 들어서자 파로가 뛰어왔다. 혹시 녀석이 짖을까 봐 걱정되었지만 짖지는 않았고 내 무릎에 코를 박고 킁킁거리면서 꼬리를 흔들며 날 쳐다보았다. 나는 텐트 쪽으로 기어가 안을 들여다보았다. 앞쪽에 출입문이 내려져 있긴 했지만 잠겨 있진 않았다. 안은 여전히 어두웠다. 처음엔 다리만 보였다. 나는 조금 더 가까이 다가가 머리를 들이밀고 눈이 어둠에 적응하길 기다렸다. 그는 침낭에 몸을 반쯤 가린 채 눈을 감고 머리가 부스스한 상태로 누워 있었다. 호흡이 빠르고 얕았다. 그의 곁에 초록색 플라스틱 물병이 쓰러져서 물이 쏟아져 있었고, 그 옆에는 큼직한 흰색 알약이 든 유리병이 있었다. 약병 역시 뚜껑이 열린 채 쓰러져서 일부가 밖으로 쏟아져 나와 있었다.

텐트는 높이가 1미터 남짓이어서 무릎을 꿇고 안으로 들어가 그 자세로 움직였다. 침낭 위에 올려놓은 그의 손에 내 손이 닿을 정도로 가까이 다가갔다. 손을 만져 보니 열이 나서 건조하고 뜨거웠다. 내가 그의 손을 만지는 순간 파로가 텐트 안에 코를 들이밀고 낑낑거리는 소리를 냈고, 소리와 촉감의 조합에 그가 눈을 떴다.

"에드워드?"

그가 말했다.

"에드워드!"

그는 날 보고 있지 않았다. 내 방향을 보고 있긴 했지만 날 보기보단 총을 보고 있는 것 같았다. 왜냐하면 그가 다음에 한 말이 "총탄은…… 못 막아……."였기 때문이다. 나는 여전히 총을 들고 있었다. 그는 말을 끝맺지 못하고 한숨을 쉬더니 도로 눈을 감았다. 꿈을 꾸며 헛소리를 하는 것 같았다. 목소리가 거칠었다. 목과 입안이 부은 것 같았다.

"많이 아프시네요. 열이 있어요."

"물, 물 좀 줘."

그가 신음하며 눈을 뜨지 않은 채 말했다.

상황을 알 것 같았다. 쓰러지기 전에 그는 물병 뚜껑을 열고 약을 몇 알 꺼냈다. 그런데 허둥대다가 그만 다 쓰러뜨렸다. 물이 모두 쏟아졌고 다시 물을 구할 기력도 없었다.

"네. 물 가져다 드릴게요. 몇 분 걸릴 거예요."

나는 부엌에서 물통을 들고 연못으로 흘러드는 개울로 달려갔다. 그곳 물이 가장 깨끗했다. 돌아왔을 때 나는 더웠고 숨이 찼다. 물통을 거의 꽉 채웠더니 무거웠다. 나는 집에 있던 컵에 물을 반 정도 따랐다.

그가 다시 잠들어 있어서 내가 어깨를 건드렸다.

"여기요. 물 좀 드세요."

그는 일어나려 애썼지만 팔꿈치를 짚고도 일어날 수가 없었고 컵을 잡으려다가 놓쳐 버렸다. 나는 다시 물통의 물을 컵에 따라서 이번엔 한 손으로 그의 머리를 받치고, 한 손으로 물을 먹여 주었다. 그는 물을 벌컥벌컥 들이켰다. 무척 목이 탔던 모양이었다.

"더……."

그가 말했다.

"지금은 안 돼요. 그랬다간 토할 거예요."

의학에 대해 별로 아는 건 없지만 그 정도는 안다. 그가 도로 누웠고 곧바로 잠이 들었다.

사실 난 그를 간호할 수 있을 정도로 많이 알지는 못한다. 데이비드나 조지프가 독감이나 수두 같은 걸 앓을 때 엄마를 도운 적은 있지만 이렇게 아픈 사람을 간호해 본 적은 없다. 그러나 나 말곤 아무도 없으니 그래도 해 볼 수 있는 건 해 봐야 할 것 같았다.

나는 집에서 수건을 하나 가져다가 물에 적셔 그의 이마를 닦아 주고 깨끗한 베개와 담요도 가져다주었다. 알약은 다시 병에 넣고 뚜껑을 닫은 다음 상표를 보았다. 무슨 약인지는 모르겠지만 병에 "시스테아민"이라고 적혀 있었다. 우리 집에 (그리고 슈퍼마켓에) 있는 약이라고는 아스피린과 감기약들뿐이었다. 그러나 다른 약이 더 있다고 해도 무슨 약을 주어야 할지 몰랐을 것이다.

물을 마신 뒤 토하지 않았으니 뭐든 먹여야 할 것 같았다. 하지만 뭘 먹여야 할까. 수프를 먹이기로 했다. 닭고기 수프. 내가 아프면 엄마가 해 주던 음식. 동굴로 갈 때 (왠지 안 그러면 이상해 보일 것 같아서) 집 안에 통조림을 몇 개 남겨 놓았지만 닭고기 수프는 없었기 때문에 슈퍼마켓에 가야 했다. 이왕 간 김에 다른 것들도 챙겼다. 이미 집으로 돌아가기로 마음먹었지만 만약을 대비해서 동굴에도 식량을 비축해 두어야 했다. 그러다 보니 챙길 게 많아졌고 다시 돌아와서 불을 지필 무렵엔 이미 날이 어두워지고 있었다.

내가 수프를 가지고 가 보니 다행히 그의 상태가 조금 나아 보였다. 내가 들어가자 그는 몹시 당혹스러운 표정으로 날 쳐다보더니 팔꿈치로 버티며 힘겹게 몸을 일으켰다. 그리고 처음으로 의식이 있는 상태로 내게 말을 걸었다. 목소리는 여전히 가냘팠다.

"여기가 어딘지 모르겠구나. 넌 누구니?"

"아저씬 지금 골짜기에 있어요. 그동안 아프셨고요."

나는 수프를 그의 옆에 내려놓았다. 떠먹여 주어야 할 거라고 생각했는데 안 그래도 될 것 같았다.

"골짜기, 이제야 기억이 나네. 초록 나무들……. 하지만 사람은 없었는데."

그가 다시 베개에 누웠다.

"제가 있었어요. 숲 속에."

동굴 얘기는 왠지 안 하는 게 좋을 것 같았다.

"아저씨가 앓고 있는 걸 봤어요. 도움이 필요하실 것 같았어요."

"그랬구나. 맞아. 많이 아파."

"수프를 만들었어요. 좀 드세요."

그가 먹어 보려 애썼지만 손에 힘이 없어서 쏟고 말았다. 결국 내가 수프를 떠먹여 주었다.

"됐다. 구역질이 나서 못 먹겠구나."

일곱 숟가락을 받아먹은 뒤 그가 말했다. 그리고 다시 잠이 들었다. 그 정도라도 음식을 넘긴 게 도움이 됐는지 호흡이 한결 편안해져서 숨이 가빠 보이지 않았다. 집에서 체온계를 가져오긴 했지만 체온은 내일 아침에 재어도 될 거란 생각이 들었다. 이마에 손을 대어 보았더니 무척 뜨거웠다. 어두운 텐트 안에서 자세히 보니 그가 무척 쇠약해 보였다.

다시 동굴로 돌아가 자명종과 달력, 램프, 이 노트, 그리고 다른 몇 가지를 챙겨 집으로 돌아왔다. 나는 자정에 자명종을 맞추어 놓았고 종이 울리면 다시 2시로, 그다음엔 4시로 맞추었다. 종이 울릴 때마다 손전등을 들고 나가 그의 상태를 살폈다. 한번은 그가 일어나 물을 달라고 해서 한 컵 떠다 주었다. 그 나머지 시간에는 편안히 잤다.

오늘 아침엔 남은 옥수수빵을 우유에 적셔 먹게 했다. (젖소를 들판에 풀어 놓아서 분유를 쓸 수밖에 없었다. 얼른 소들을 들여와야 할 텐데. 닭들도.)

오늘 아침 그는 한결 나아 보인다. 어제처럼 초점 없는 눈빛이 아니다. 그는 내게 빵과 우유를 갖다 주어서 고맙다고 했고, 혼자 식사를 할 수가 있었다. 식사를 마치고 나서 그는 잠시 앉아 있다가 다시 누우며 말했다.

"왜 병이 났는지 알아야겠어."

"버든 시내에서 수영해서 그럴 거예요."

내가 말했다.

"버든 시내?"

"도로 옆에 있는 시내요."

"네가 어떻게 알아?"

"멀리서 봤거든요."

"그 물에 대해서 뭐 아는 게 있니?"

"그 물엔 아무것도 안 살아요. 왜 그런지는 저도 몰라요."

"그렇더구나. 근데 그걸 목욕하고 난 뒤에야 알았어. 지금까지 그렇게 조심했는데 그런 한심한 실수를 저지르다니……. 몸에 물을 댄 지 1년이 넘었거든. 하지만 다른 물은, 연못 물은 괜찮더라고. 그래서 난 그 물도……."

그가 하던 말을 멈추고 잠시 가만히 누워 있다가 다시 말을 이었다.

"내가 경솔했어. 너 혹시……."

"네?"

"가이거 측정기가 뭔지 아니?"

"아저씨가 들고 다니는 유리관요?"

"그거 읽을 줄 아니?"

"아뇨. 한 번도 안 해 봤어요."

나는 그의 수레 짐칸에서 조그만 관 모양의 물건을 꺼냈고, 그가 내게 윗부분의 눈금을 보여 주었다. 움직일 때마다 나침반처럼 흔들리는 조그만 바늘이었다. 0부터 200까지의 눈금이 있었다. 나는 측정기를 들고 버든 시내로 향했다. 텐트 안에서나 길을 건널 때까지만 해도 눈금은 5 정도에 머물렀다. 그러나 시내에 다가갈수록 점점 더 수치가 올라갔다. 바늘이 빠르게 회전하며 180까지 올라갔다. 올라갈 수 있는 거의 최대치였다. 이런 물에 들어가다니. 아픈 게 당연했다. 나는 눈금을 읽자마자 다시 도로 쪽으로 나왔다.

내가 그에게 눈금의 변화를 설명하자 그가 신음하며 손으로 눈을 가렸다.

"180! 그런 물속에 10분이나 있었다니! 세상에! 300뢴트겐 정도는 되겠구나. 어쩌면 그 이상일 거야."

"그게 무슨 뜻이에요?"

내가 물었다.

"내가 방사능에 피폭됐다는 뜻이야. 아주 많이."

"하지만 지금은 좀 나아지셨잖아요."

그는 방사능 피폭에 대해 많은 걸 알았다. 전쟁 전에도 공부를 했던 모양이었다. 먼저 구역질이 나기 시작하고, 그 상태가하루나 이틀 지속되다가 사라진다. 그러나 방사능은 소위 세포내 이온화 증상이라는 걸 유발하는데, 그게 진짜 심각한 문제다. 세포의 분자들 일부가 파괴되어 더 이상 정상적인 기능을 수행하지 못해서 성장도, 분열도 할 수 없기 때문이다. 머지않아 하루이틀 혹은 며칠 더 지나면 그는 상태가 악화될 것이다. 고열이나고 손상된 혈구가 재생되지 않기 때문에 빈혈 증세가 나타날것이다. 가장 끔찍한 건, 세균이나 감염에 대한 저항력이 전혀없어져서 폐렴에 걸리기 쉽고 음식이나 물에 들어 있는 아주 작은 불순물에 대해서도 면역이 없다는 것이다.

"얼마나 더 나빠질까요?"

사실 내가 정말 묻고 싶었던 건 "아저씨 곧 죽게 되나요?"였다. 그도 내 말 뜻을 알아들었다.

"뢴트겐이 뭔지 아니? 방사능 측정 단위지. 만약 내가 300뢴트겐 정도 피폭된 거라면 살 수도 있어. 하지만 400이나 500 정도라면 희망이 없어."

그는 이 모든 걸 담담하게 말했다. 아주 침착했다. 나라면 완전히 겁에 질렸을 텐데. 그러나 나도 침착하게 현실적으로 받아들이려 애썼다.

그래서 내가 말했다.

"몸이 좀 괜찮으실 때 제가 어떻게 하면 되는지 알려 주세요. 약은 있으세요? 어떤 약을 드셔야 하나요?"

그가 바닥에 있던 약병을 바라보았다.

"이제 이런 건 도움이 안 돼. 약은 없단다. 병원에 있으면 수액이나 영양제 같은 걸 주겠지."

그건 내가 줄 수가 없는 것들이다. 그러니까 결론은 내가 할 수 있는 일이 별로 없단 뜻이다. 병세가 어떻게 진행되는지 일단 지켜보는 것 외에는. 지금 상황에서 그가 확실히 말할 수 있는 건 앞으로 열이 많이 오르고 빈혈이 심해질 거란 사실뿐인 것 같다. 폐렴이나 이질 같은 병에 감염될 수 있는 확률은 높지만 아직 단정할 순 없다. 내가 할 수 있는 일이 한 가지 있다면 감염을 막는 것이다. 그가 먹는 음식이나 식기를 갓난아기를 키울 때처럼 끓이고 소독할 수는 있을 것이다. 소와 닭을 들여놓으면 신선한 우유와 달걀을 먹일 수도 있을 것이다. 영양가도 높고 소화도 잘되는 음식이니까.

내일 그가 조금 걸을 수 있을 정도로 기력을 회복하게 되면, 그를 집 안으로 데리고 들어갈 것이다. 조지프와 데이비드의 방

침대에서 자게 하면 될 것이다. 집 안이 훨씬 건조하고 따듯한 데다 내가 돌보기도 훨씬 편할 것이다.

　방금 생각났는데, 상황이 이렇게 되도록 나는 아직 그의 이름 조차 모른다.

# 여섯

**5월 29일**

그의 이름은 존 R. 루미스이다. 그는 코넬 대학이 있는, 혹은 있었던 뉴욕 주 이타카 출신의 화학자이다.

오늘 아침 그는 한결 좋아 보였다. 얼마나 좋아졌는지 다시 상태가 악화될 거란 생각이 들지 않을 정도였다. 그러나 좋아지는 것조차도 방사능 피폭의 정상적인 예후라고 그가 말했다. 알고 보니 그는 이 방면의 전문가다. 어떻게 보면 그래서 지금까지 살아남을 수 있었고 이곳까지 올 수 있었던 것 같다.

비록 아픈 사람이긴 해도 마침내 얘기할 사람이 있다는 생각에 오늘 아침 나는 기분 좋게 눈을 떴다. 물을 좀 더 길어 벽난로에 데운 다음 한동안 못 했던 목욕을 했다. (나는 더운 물을 욕조에 부었다. 익숙해지면 물 두 동이로도 목욕을 잘할 수 있다.) 그러고 나서 좋은 바지를 입었다. 어떻게 보면 그는 나의 '동지'인 셈이었고, 옷차림에 조금이나마 신경을 써야 할 것 같았다. 거울을 보면서 좀 쑥스럽단 생각이 들긴 했지만 아마 그동안 남자 청바지를 입는 데 너무 익숙해져서 그럴 것이다.

어젯밤 (다시 내 방으로 돌아가) 잠자리에 들기 전 나는 닭장 문을 열고 바닥에 사료용 옥수수를 뿌려 놓았다. 오늘 아침 옷을 입고 나가 살펴보니 예상대로 녀석들이 돌아와 있었고 신선한 달걀도 세 개 있었다. 나는 달걀을 삶고, 마지막 남은 옥수수빵을 굽고, 커피를 타고, 토마토 주스 한 캔을 땄다. 근사한 아침 식사였다. 나는 그것들을 딸기 잼 한 병과 함께 쟁반에 담아 텐트로 가져갔다. 동쪽 산마루 위로 해가 떠오른 걸 보니 8시 30분쯤 된 것 같았다. 골짜기 안에 까마귀 두 마리가 날아다녔다. 나는 행복했고 신이 났다.

놀랍게도 그는 텐트 입구에 앉아 있었다.

"많이 좋아지셨네요."

내가 말했다.

"일단은 그래. 뭘 좀 먹을 수 있을 것 같아."

내가 쟁반을 앞에 내려놓자 그가 아침 식사를 바라보았다.

"세상에!"

그가 중얼거렸다. 혼잣말처럼.

"네?"

"이 음식들 말이야. 신선한 달걀. 토스트. 커피. 이 골짜기. 너 혼자 살고 있는 것. 다 놀랍구나. 혼자 사는 거 맞지?"

의미심장한 질문이었다. 그 질문을 할 때 그는 미심쩍은 표정을 지었다. 마치 내가, 혹은 다른 누군가가 그를 속일 수도 있다는 듯이. 그러나 그에게 사실을 숨길 필요는 없었다.

"네."

"혼자 살아남아서 닭을 키우고 달걀을 거두고 소를 길렀니?"

"그렇게 힘들지 않았어요."

"그리고 이 골짜기는…… 어떻게 무사할 수 있었지?"

"그건 저도 잘 모르겠어요. 골짜기 안에는 골짜기만의 날씨가 있다고 사람들이 늘 말하긴 했어요."

"기상 고립 지역이란 얘기구나. 일종의 역전 현상이야. 이론적으로는 가능하지. 하지만 확률적으로……."

"일단 드세요. 음식이 다 식겠어요."

내가 말했다.

나중에 먹는 것조차 힘들 정도로 아파질 거라면 지금 먹어서 기력을 보충해 두는 게 좋을 것 같았다. 골짜기에 대해서라면 나도 생각해 볼 만큼 생각해 보았다. 골짜기 밖에서 죽음의 기운이 스며 들어올 거라 생각했던 처음 몇 달 동안은 더더욱 그랬다.

그런데 그렇게 되지 않았다. 우리가 이 골짜기 안에 엄연히 살아 있는데, 이론적으로는 가능한 일이라느니 하는 얘기는 의미가 없다고 생각했다. 그때만 해도 나는 그가 화학자고 과학자란 사실을 알지 못했다. 과학자들은 이 세상의 그 무엇도 있는 그대로 받아들이지 못한다. 그들은 어떻게든 원인을 분석하려 애쓰는 사람들이다.

그는 아침 식사를 하면서 내게 이름을 말해 주었다. 물론 나도 내 이름을 말했다.

"앤 버든이라……. 다른 사람들은 없었니?"

"우리 가족이 여기 살았어요. 그리고 슈퍼마켓 주인도요. 클라인 씨 부부."

나는 그들 모두 차를 몰고 나갔다가 돌아오지 못했단 얘기를 들려주었다. 아미시 농장 사람들 얘기, 아빠가 오그덴타운에 나가서 목격했던 것들에 대해서도 얘기했다.

"너무 멀리 나가셨나 보구나."

그가 말했다.

"하긴, 가만히 앉아서 기다릴 수가 없었겠지. 특히 처음엔 말이야. 나도 알 것 같아. 계속 희망을 품게 되지. 더구나 전쟁 직후엔 신경가스가 남아 있어서……."

"신경가스요?"

"거의 다 그걸로 죽었어. 어떻게 보면 차라리 잘된 일이지. 어느 날 잠자리에 들었다가 영영 깨어나지 않았으니까."

그는 이타카에서 출발해서 이 골짜기에 오기까지 10주가 걸렸다고 했다. 여기까지 오도록 생명체는 한 번도 보지 못했다. 사람도, 짐승도, 새도, 나무도, 심지어는 곤충도. 오직 잿빛 황무지와 텅 빈 고속도로, 죽은 도시, 죽은 마을뿐이었다. 다 포기하고 돌아가려던 차에 그는 마침내 산마루를 넘으며 어스름한 저녁에 푸르스름한 빛깔을 보았다. 처음엔 호수일 거라고, 다른 호수들처럼 죽은 호수일 거라고 생각했다. 그러나 다음 날 아침 환한 햇살 아래서 다시 보니 지금까지와는 다른 초록빛이었다. 그동안 거의 잊고 있었던 초록빛. 내가 짐작했던 대로 그는 선뜻 믿을 수가 없었지만 어쨌든 한번 확인해 보기로 했다. 버든 언덕에 이르러서야 자신이 진짜 생명의 징후를 발견했음을 확신했다. 그때 나도 그를 보고 있었고, 그게 내가 그를 처음 본 순간이었다.

그가 아침 식사를 마쳤다. 음식을 남김없이 먹었고 커피도 마셨지만, 그는 여전히 기운이 없었고 다시 침낭에 드러누웠다.

"왜 이 텐트에서 주무세요? 상태가 다시 악화될 거라면 집 안이 더 나을 텐데."

내가 물었다.

"텐트는 방사능이 침투하지 못하거든."

"골짜기엔 방사능이 없어요. 이젠 아시잖아요."

"지금은 알지. 하지만 처음엔 믿을 수가 없었어."

"어쨌든 이젠 아시잖아요."

"물론 알지만, 이제 네가 돌아왔으니 그 집은 네 거잖아."

"아저씨가 아프면 제가 돌봐 드려야 하잖아요. 집 안에서 돌보는 게 훨씬 편해요."

그는 더 이상 고집을 부리지 않고 후들거리는 다리로 일어서서 집 쪽으로 몇 발짝을 떼어 놓다가 멈추어 섰다.

"너무 어지러워. 쉬어야겠어."

"저한테 기대세요."

그는 한 손을 내 어깨에 올려놓고 몸을 내게 축 늘어뜨린 상태로 잠시 서 있다가 다시 걸었다. 집으로 걸어가서 현관 계단을 오르고 1층에 있는 조지프와 데이비드의 방으로 가기까지 10분 정도가 걸렸다. 그는 데이비드의 침대에 누워 잠이 들었고 나는 담요를 가져다주었다.

그는 정오까지 잠을 잤고 그동안 나는 연못을 지나 먼 들판으로 나가 소 두 마리와 송아지 한 마리를 목장 쪽으로 몰았다. 새로 얻은 자유에 익숙해진 소들이 말을 듣지 않아 나뭇가지로 녀석들을 몰아야 했다. 송아지는 사방으로 뛰어다녔지만 먼저 소 두 마리를 목장 안에 몰아넣고 문을 잠갔더니 잠시 후 송아지가 목장에 들어가려고 문 앞에서 낑낑거렸다. 나는 젖소를 헛간으로 몰고 가서 젖을 짰다. 지금도 짤 때마다 3.5리터가량의 젖이 나온다. 그러나 1년 내로 젖은 말라 버릴 것이다. 그렇게 되면 우유도, 크림도, 버터도 없이 지내야 한다. 송아지가 자랄 때까지. 그때까지 얼마나 걸릴지 알 길이 없다.

집으로 돌아오니 루미스가 막 잠에서 깨어난 것 같았지만 여전히 침대에 있었다. 나는 점심을 준비했고 그가 얘기를 좀 더 들려주었다.

그가 코넬 대학 대학원생이었던 시절부터 시작되는 얘기다. 그는 유기화학 전공이었고 플라스틱과 고분자에 관한 연구를 하고 있었다. (주로 나일론, 다크론, 그리고 비닐 랩처럼 신축성 있는 소재를 만드는 데 쓰이는 아주 긴 분자라고 그가 설명해 주었다.) 유기화학과의 학과장 킬머 교수는 노벨상 수상 경력이 있는 유명한 과학자였다.

킬머 교수는 국가에서 연구 장학금을 지원받아 국가에서 그를 위해 설립해 준 특수 연구실에서도 일하고 있었는데, 연구실은 코넬 대학 내에 있지 않고 30킬로미터 정도 떨어진 산속에 있었다. 모든 연구가 비밀에 부쳐졌지만 교수의 전공인 플라스틱과 고분자와 관련이 있다는 것 정도는 알려졌다.

교수는 베일에 싸인 인물이었고 다정한 사람도 아니었지만 (제자였던) 루미스와는 꽤 친했다. 어느 날, 교수가 코넬 대학 화학관 건물에 있는 연구실로 루미스를 초대했다. 교수는 무척 흥분한 상태였다. 문을 닫고 들어서자마자 루미스에게 자기와 함께 비밀 연구를 해 보지 않겠느냐고 물었다. 얼마 전에 놀라운 발견을 했고 연구원을 늘려야 할 필요성을 느꼈다고. 루미스는 그의 제안을 생각해 보았고 그러겠다고 했다. 교수의 설명을 들어 보니 어차피 그가 공부하는 것과 같은 방향의 연구였고, 그의 연구실에서 일하면 보수를 받을 수 있기 때문이었다.

교수의 발견이라는 건 비닐에 자성을 띠게 하는 방법이었다. 루미스는 "극성을 준다"라고 표현했는데 그게 곧 자성을 띠게 하는 것이라고 말했다. 고분자인 폴리머스로 만들어졌기 때문에 연구실 사람들은 그 물질을 '폴라폴리'라고 불렀다.

나는 처음에 그게 뭐가 그렇게 대단한 발견인가 생각했지만 그 물질의 용도에 관한 설명을 듣고 나서야 비로소 그 물질이야말로 국가 차원에서 대단한 발견임을 깨달았다. 자성 물질은 방사선을 막거나 최소한 반사시킬 수 있었다. 루미스는 내게 지구의 자기장이 우주의 갖가지 광선으로부터 인류를 지켜 주는 거라고 설명해 주었다. (나도 학교에서 배운 적이 있었다.) 따라서 자성을 띤 플라스틱을 이용하여 방사능을 막아 주는 옷을 제작할 수 있다는 것이었다.

그것이 바로 국가에서, 그리고 당연히 국방부에서 원하는 것이었다. 그렇게만 되면 핵이 폭발한 지역에서도 군인들이 계속 살아서 싸울 수 있을 테니까. 일반 시민들을 위한 방사능 안전복도 제작할 계획이었지만 군인이 우선이었다.

그게 전쟁이 나기 3년 전의 일이었다. 다음 날 루미스가 출근한 연구실은 지하 25미터에 암반을 뚫고 지은, 대저택처럼 커다란 건물이었다. 루미스는 그로부터 3년 동안 거의 매일 연구실에서 일했고 일하다가 거기서 잠든 적도 많았다. 숙소가 딸려 있어서 중요한 실험이 있는 경우에는 이타카로 돌아가지 않고 그곳에서 묵었다. 엄청난 양의 식량이 구비되어 있었고 주방도 있었다.

루미스는 머지않아 그 프로젝트가 단순히 방사능 안전복을 제작하는 문제가 아님을 알게 되었다. 군인에게 안전복을 지급해 봐야 주변의 공기를 흡입하거나 물을 마실 수 없다면 아무 의미도 없었다. (배급용 식량, 심지어는 식품의 용기까지도 그 물질로 포장이 가능했다.) 그러나 킬머 교수는 이미 다양한 종류의 플라스틱을 생성하는 실험을 하고 있었다. 얇고 투과성이 있는 소재를 이용하여 물을 정제하는 것이 가능했다. 이를테면 이런 식이었다. 오염 상태가 심각한 물일수록 여과 섬유를 통과했을 때 물의 양이 줄어든다. 그러나 깨끗한 물을 투과하면 걸러지는 게 없다. 그리고 나서 그들은 그와 유사한 공기 여과 장치의 개발에 돌입했다. 그 작업이 더 힘들었다. 깨끗한 공기를 탱크에 압축 저장해야 했기 때문이다. 그러나 결국 그들은 펌프로 작동하는 휴대용 공기 여과기 개발에 성공했다.

그것들이 바로 (나도 그제야 알게 된 사실이지만) 그가 들고 온 장비들이었다. 내가 그를 처음 보았을 때 그가 입고 있던 초록색 비닐 옷과 등에 메고 있던 산소탱크, 물 여과기, 그리고 수레에 있던 정제된 물까지. 물론 텐트도 안전복과 같은 소재로 만들어졌고 수레도 마찬가지였다.

그 모든 것이 연구실에서 제작되었고 모든 제품의 견본은 전쟁 직전에 완성되었다. 워싱턴에 보고가 되고 미 국무성에서 제품을 시험하기 위해 팀을 파견했다. 품질 검사를 통과하면 미 전역의 공장에서 제품을 생산할 계획이었다. 그러나 국무성 팀은 끝내 연구실에 도착하지 못했다. 모든 게 너무 늦었다. 전쟁이 터졌고, 시민은커녕 단 한 명의 군인이 단 한 벌의 안전복을 입어 보기도 전에 전쟁은 끝나 버렸다.

핵폭탄이 터지던 날 밤, 루미스는 연구실에서 늦게까지 일하고 있었다. 라디오로 전쟁 소식을 듣고 그곳에 머물기로 했다. 적어도 당분간 그곳에 머물며 상황을 파악할 생각이었다. 식량 포장을 위한 섬유를 개발하던 중이었기 때문에 (거의 영구적으로 보존이 가능한) 군용 식품이 충분히 구비되어 있었다. 그러나 킬머 교수는 그곳에 없었다. 그는 이타카로 돌아가 있었고 루미스는 그 후 다시는 그를 보지 못했다.

루미스는 연구실에 전 세계 유일한 방사능 안전복과 공기 여과기, 물 여과기를 갖고 있는 셈이었다.

루미스도 나처럼 라디오 방송이 하나둘 사라져 가는 과정을

73

겪었다. 그래도 그는 연구실처럼 지하에 설계된 기지들, 이를테면 공군기지 같은 곳엔 몇 달 정도 버틸 수 있는 장비가 구축되어 있을 거라고 믿었다. 만약 그런 곳에 누군가 살아 있다면 밖으로 나올 수 없을 테고, 그들과 달리 루미스는 나갈 수가 있었다.

그는 연구실에 석 달을 머물렀다. 연구실 밖의 방사능 수치가 떨어지기를 기다리면서. 그러나 수치는 떨어지지 않았다. 그는 모험을 감행했다. 처음엔 작은 모험이었다. 안전복은 연구실 내에서 치밀한 검사를 통과했고 모든 종류의 방사능에 안전했다. 그러나 실제로 현장에서 사용해 본 적은 없었다. 루미스는 조심스러울 수밖에 없었고 조심했길 다행이었다. 예를 들면 처음에 그는 무작정 차를 몰고 가장 가까운 시내 이타카로 나가 보고 싶었다. 그러나 연구실에 있던 가이거 측정기로 차 안의 방사능 수치를 측정해 보니 차 밖보다 열 배가 높았다. 금속으로 이루어진 차체가 사방에서 방사능을 흡수해서 상상을 초월한 농도의 방사능이 차내에 농축되어 있었다. 어쨌든 그 수치는 안전복이 감당할 수 있는 한계치에 가까웠기 때문에 루미스는 그런 위험을 감수할 수가 없었다.

그 이후에도 그는 차량 수백 대의 방사능을 측정했고, 모든 차량이 똑같았다. 수치가 너무 높아서 안전을 보장할 수가 없었다. 오토바이도 위험했다. 자전거는 그나마 나았지만 거추장스러운 비닐 옷을 입고 타기엔 불편했다. 결국 그는 걷기로 하고 자전거 부품을 떼어 만든 수레에 폴라폴리로 제작한 가볍고 큼직한 짐칸을 싣고 그 속에 생필품을 담았다.

그의 첫 행선지는 서쪽 시카고였다. 그곳에 지하 공군기지 사령부가 있었다. 그는 지도를 보고 하루 이동 거리를 계산한 다음 며칠이 걸릴지, 비상식량이 얼마나 필요할지 계산했다. 여행길에서 식량을 구할 수 없으리란 걸 알았고 설령 지하 기지에 식량이 있다고 해도 그것만 믿을 순 없었다.

그는 공군기지를 쉽게 찾았다. 바리케이드와 벽, 울타리로 빙 둘러진 공군기지의 접근 금지 팻말이 1.5킬로미터 지점부터 보이기 시작했다. 그러나 그곳 상황은 처참했다. 외부에서 보초를 서고 있던 군인들이 기지 안으로 들어가려 싸웠고 그 싸움에 민간인들까지 가세했고 수류탄까지 사용된 흔적이 있었다. 기지 안팎으로 시체가 넘쳐났다. 지하로 내려가려 해 보았지만 엘리베이터는 작동하지 않았다. 그는 수레 짐칸에서 손전등을 꺼내 사다리처럼 가파른 계단을 내려갔다. 열 계단 정도 내려가니 칠흑 같은 어둠이었다.

아흔 계단 정도 더 내려가서 들어선 통제실은 비교적 피해가 적었다. 지도들이 붙어 있는 벽들, 책상들, 전화들, 컴퓨터들이 있는 둥근 방이었다. 제복 군인 셋이 책상 위에 엎드린 채 죽어 있었고 그들 옆에 권총이 있었다. 그러나 그들은 총에 맞아 죽은 게 아니었다. 루미스는 그들이 질식사했을 거라고 추측했다. 아마도 산소통에만 호흡을 의존해야 했을 것이고 혼란의 와중에 어디선가 누군가가 공기 순환 펌프를 파괴했을 것이다.

루미스는 결국 그런 게 중요한 게 아니라는 결론에 도달했다. 왜냐하면 전 세계에 구축된 이런 지하 대피소들은 생존 기간에 한계가 있어서 3개월, 6개월, 혹은 1년 정도를 버틸 수 있는 공기와 물을 보유하고 있었고, 그것은 그 이후에는 밖으로 나가도 안전하다는 가정을 바탕으로 한 것이었다. 그런데 그런 일은 일어나지 않았다.

루미스는 데이비드의 침대에 앉아 점심 식사를 마치고 나서 이 모든 얘기를 들려주었다. 얘기를 하고 싶어 하면서도 한편으론 지쳐 가는 기색이 역력했다. 지금까지 내가 기록한 얘기를 들려주고 나서 목을 축이려고 그가 쟁반 위에 놓인 유리컵을 들었지만 컵이 비어 있었다. 나는 컵과 쟁반을 들고 부엌으로 갔다. 물컵에 물을 따르면서 문득 무척 궁금했던 것이 하나 떠올랐다.

"에드워드가 누구예요?"

그에게 물을 건네며 내가 물었다. 환각 상태에서 날 처음 보았을 때 그가 부른 이름이었다.

그 질문을 던지는 순간 나는 그가 구역질을 다시 시작하는 줄 알았다. 마치 악몽을 꿀 때처럼 그의 눈빛이 거칠어졌다. 유리컵을 들고 있던 그의 손힘이 빠지면서 컵이 바닥에 떨어졌다. 그 소리에 정신을 차린 듯 그가 고개를 저었고 서서히 눈빛이 차분해졌다. 그는 여전히 나를 빤히 쳐다보고 있었다.

"네가 에드워드를 어떻게 아니?"

"제가 텐트에서 처음 아저씨를 봤을 때, 아저씨가 절 에드워드라고 부르셨잖아요. 괜찮으세요? 구역질 나세요?"

그가 마침내 긴장을 풀었다.

"깜짝 놀랐구나. 에드워드는 연구실에서 킬머 교수 밑에서 나와 함께 일했던 사람이야. 내가 그 친구 이름을 부른 줄은 몰랐다."

나는 그에게 물을 한 잔 더 가져다준 다음 바닥에 쏟아진 물을 닦았다.

# 일곱

## 6월 3일

나흘이 지났다.

첫날 루미스의 상태는 그대로였다. 나는 해열제를 주고 열을 쟀다. 아침에는 37.5도였고 차츰 38도까지 올라갔다가 저녁때 다시 37.5도로 떨어졌다. 루미스는 자기가 아직 '잠복기'에 머물고 있단 뜻이라고 말했다.

나는 아스피린을 권했지만 루미스는 그래 봐야 아무 도움도 안 된다면서 슈퍼마켓에 남아 있는 대여섯 병 정도의 아스피린이 지구상에 남아 있는 마지막 아스피린일지도 모르기 때문에 아껴야 한다고 말했다. 그는 진지하게 말했지만 내겐 왠지 반 농담으로 들렸다.

할 일이 태산 같았다. 그가 이 골짜기에, 그리고 우리 집에 살게 되었으니 혼자 있을 때보다 잘 먹어야 한다는 생각이 들었다. 만약 그의 상태가 악화될 거라면 체력을 길러야 했다. 음식 만들기를 좋아하면서도 나 혼자 살 땐 굳이 요리를 하려 애쓰지 않았다. 나 혼자 먹자고 요리를 한다는 게 왠지 한심하게 느껴졌다.

결국 나는 필요한 것들을 가지러 슈퍼마켓에 몇 번이나 왔다 갔다 했다. 물론 거기 남아 있는 것들은 전부 통조림이나 건조식품들이었다. 우유와 달걀을 제외하면 다시 채소를 기르기 전까지 신선한 음식은 구할 수가 없었다. 벌써 6월이기 때문에 그게 가장 시급한 일이었다. 밭을 갈아엎은 게 후회스러웠다. 밭이 있다면 지금쯤 녹색 채소를 딸 수 있을 텐데. 상추도 딸 수 있을 텐데. 이미 너무 늦었는지도 모르지만 당분간 날씨가 서늘하길 바라며 심어 볼 생각이었다. 적어도 내년에 심을 씨앗 정도는 구할 수 있을 테니까. 그러나 나는 샐러드와 신선한 야채가 무엇보다도 아쉬웠다.

나는 삽과 괭이를 들고 일을 시작했다. 파로가 달려와 내가 처음 파낸 흙냄새를 맡았다. 그러더니 자기도 굴을 파서 그 속에 들어앉았다. 햇살이 따뜻했다. 파로는 처음 보았을 때보다 몰골이 훨씬 나아졌다.

이미 한 번 갈아엎었던 흙이라 삽질이 수월했다. 거름도 이미 주었기 때문에 다시 줄 필요도 없었다. 씨앗은 충분했다. 동굴에 들어갈 때 나는 씨앗도 가지고 갔다. 그러나 땅 한 뙈기를 갈아 엎고 씨를 심고 나서야 그걸로 충분치 않다는 사실을 깨달았다. 왜냐하면 사람이 둘이면 모든 게 두 배로 필요할 테고 비축할 분량도 필요하기 때문이었다. 슈퍼마켓의 통조림도 영원하진 않을 것이다. 그래서 나는 텃밭 규모를 두 배로 늘리기로 했다.

땅은 얼마든지 있었지만 새로 넓히는 부분은 잔디를 갈아엎어야 해서 삽질하기가 훨씬 힘들었다. 꽤 많이 진척되었을 때 파로가 일어나 꼬리를 흔들었다. 고개를 들어 보니 루미스가 문기둥에 기대어 서서 날 쳐다보고 있었다. 점심 식사를 마치고 내가 나올 때 그는 여전히 데이비드의 침대에 누워 있었다. 어느덧 늦은 오후가 되었고 이제 일을 멈추고 저녁을 준비할 시간이었다. 그가 쳐다보고 있으니 왠지 창피하다는 생각이 들었다. 나는 지저분했고 더웠고 땀범벅이었다. 그의 방에 가기 전에 씻을 생각이었는데.

그러나 그보다는 걱정이 더 컸다. 왜 침대에서 일어나 밖으로 나왔을까. 나는 삽을 든 채로 다가가 물었다.

"어디 불편하세요?"

"아니. 그냥 좀 따분해서. 날씨가 포근해서 나와 봤어."

나는 따분함 따위는 잊고 살았다. 할 일은 얼마든지 있었다. 물론 난 아파서 침대에 누워 지내진 않았다. 그에게 읽을 책을 몇 권 주었지만 엄마가 읽던 역사소설들이었다. 왠지 그런 책들은 별로 좋아하지 않을 것 같았다. 2층 침실에 다른 책들이 있었지만 대부분 교과서나 동화책이었다. 우린 오그덴타운의 공공도서관을 자주 이용했다.

"땅을 갈고 있었어요. 텃밭을 만들려고요."

물론 이미 보아서 그가 알겠지만 나는 설명했다.

"혼자서 하긴 벅찰 텐데."

내 형편없는 몰골을 보았는지 그가 말했다.

"늘 하던 일인걸요."

이미 갈아엎어져 있었기 때문에 그렇게 힘들진 않다고 말하려다가 그만두었다. 처음 그를 보고 내가 얼마나 두려움에 떨었는지 말하고 싶지 않았다.

그는 당황한 것 같았다.

"그걸 다 손으로 직접 해야 하니? 너희 아빠는 트랙터를 쓰지 않으시던?"

"트랙터는 헛간에 있어요."

"넌 몰 줄 모르고?"

"몰 줄은 아는데 가솔린이 없어요."

"슈퍼마켓에 가솔린 펌프가 두 개 있던데. 그 안에 분명히 있을 거야."

사실이었다. 아미시 사람들은 자동차는 쓰지 않았지만 트랙

81

터, 수확기, 건초기 같은 것들은 사용했기 때문에 클라인 씨네 슈퍼마켓에서 가솔린을 구입했다.

"있어요. 하지만 전기가 없으면 펌프가 작동 안 해요."

"그래서 지금까지 삽으로 밭을 갈았구나. 펌프에 달린 모터를 떼고 수동으로 가솔린을 받으면 될 텐데, 그 생각은 못 했니? 1만 5,000리터에서 2만 리터 정도 들어 있을걸."

그가 미소를 띠고 말했지만 나는 왠지 바보가 된 기분이었다.

"전기 모터나 펌프에 대해선 잘 몰라요."

"내가 좀 알아. 적어도 그 정도 작업을 할 수 있을 정도는."

"몸이 좀 나아지시면 그때 해 주세요."

한 번도 얘기한 적은 없지만 우리는 그가 회복이 될 거라고 가정하고 있었다.

그가 가솔린과 트랙터 이야기를 해 주어서 기뻤고 부디 그의 말대로 트랙터가 작동되기를 바랐다. 소 세 마리가 뜯을 만큼의 풀은 있었지만 넉넉하진 않았다. 트랙터를 몰 수만 있다면 시든 풀을 베어 건초로 쟁여 놓을 수도 있을 것이다. 그렇게 해서 가축도 더 늘릴 수 있으면 좋을 것이다.

나는 해가 질 무렵 집으로 돌아왔다. 이곳은 높은 산으로 둘러싸인 골짜기라 해가 늦게 뜨고, 일찍 진다. 황혼이 길게 이어지고 평지에서처럼 장엄한 노을은 여기선 좀처럼 구경하기 힘들다. 그러나 그날 일몰은 다른 날보다는 나았다. 아빠는 늘 이렇게 말하곤 했다.

"골짜기에서 진짜 멋진 노을은 동쪽에서 진단다."

실제로 그랬다. 서쪽 산 너머로 해가 질 때면 마지막 남은 오렌지 빛이 그 뒤를 쫓는 어두운 그림자와 함께 동쪽 산등성이를 타고 올라가기 때문이다. 마지막엔 가장 높은 나무의 꼭대기만 마치 불이 붙은 듯 환하다. 그 빛이 서서히 사라지고 나면 어둠이 내린다.

우리는 잠시 멈추어 서서 그 광경을 바라보았다. 그는 기둥을 짚을 때처럼 한 손으로 내 어깨를 짚고 있었다. 내가 도움이 된다는 게 뿌듯했지만 다시 집으로 돌아가는 길엔 그가 혼자 걸었다. 그는 기력을 한결 회복한 것 같았고 선 자세도 반듯해졌다. 그제야 그의 키가 꽤 크다는 걸 알았다.

밤이 되자 추워져서 저녁 식사를 한 뒤 거실 벽난로에 불을 지피고 문을 닫았다. 거실은 그가 묵고 있는 조지프와 데이비드의 방에서 가까웠기 때문에 벽난로의 온기가 전해지도록 그 방문을 열어 두었다. 그러나 그는 곧바로 방에 들어가지 않고 벽난로 가까이에 앉았다.

거실엔 천을 씌운 의자 두 개와 소파가 있었고 모두 불을 볼 수 있는 위치에 놓여 있었다. 겨울이 되면 아빠와 엄마가 의자를 그렇게 놓았다. (나는 지난겨울 내내 벽난로 앞 소파에서 잤다.) 루미스가 앉아 있는 의자는 아빠의 의자였다. 전기 램프가 아직도 의자 옆에 놓여 있었다. 비록 불을 켤 수는 없지만 램프들이 보기 좋아서 그대로 두었다. 한쪽 벽에는 축음기가 있었고 또 다른 벽에는 피아노가 있었다.

"책 가져다 드릴까요? 램프를 의자 옆으로 옮겨 드릴 수도 있어요."

그가 또 따분해할까 봐 내가 물었다.

"고맙지만 괜찮다. 그냥 불이나 좀 보고 있지, 뭐. 그러다 보면 잠이 오겠지. 불을 보면 잠이 오니까."

그가 그렇게 말했는데도 왠지 처음으로 신경이 쓰였다. 그가 할 수 있는 일이 아무것도 없었다. 내가 혼자일 땐, 그러니까 내가 혼자였을 땐 하루 일과를 마치면 늘 피곤했다. 빨래나 바느질, 혹은 그 외 다른 할 일이 없으면 저녁 식사를 하고 곧바로 잠자리에 들었다. 그런데 이제는 라디오라도 켤 수 있으면, 아니면 축음기라도 작동했으면 좋겠다는 생각이 들었다. 꽤 괜찮은 축음기였고 우리 집엔 레코드도 많았다. 그러나 전기가 없으니 축음기를 켤 수도 없었다. 그래서 나는 평상시 같으면 아주 부끄러웠을 제안을 했다.

"제가 피아노 쳐 드릴까요?"

나는 얼른 덧붙였다.

"잘은 못 쳐요."

놀랍게도 그는 무척 반가워했고 심지어 흥분하는 것 같았다.

"칠 줄 아니? 음악을 못 들은 지가 1년도 넘었구나."

그가 딱하다는 생각이 들었다. 왜냐하면 나는 피아노를 별로 잘 못 치는 건 물론이고 칠 줄 아는 곡도 많지 않기 때문이다. 『존 톰슨 중급 피아노 교본』,『톰슨 초급 피아노곡』, 그리고 언젠가 배워 둔 연주곡 「엘리제를 위하여」가 전부였다. 피아노 교본은 거의 손가락 연습용 곡들이었다.

나는 램프를 피아노 가까이에 놓고『톰슨 초급 피아노곡』연주를 시작했다. 대부분은 유치한 곡이지만 뒤쪽으로 가면 그런대로 듣기 좋은 좀 더 어려운 곡들이 있었다. 나는 그를 흘금흘금 쳐다보면서 피아노를 쳤다. 그는 내 연주를 정말 좋아하는 것 같았고 그래서인지 나는 큰 실수 없이 평상시보다 더 잘 쳤다. 물론 그가 박수를 쳐 준 것도, 칭찬의 말을 한 것도 아니었다. 그저 가만히 앉아 듣기만 했다.『톰슨 초급 피아노곡』을 끝내고 나서 「엘리제를 위하여」와 교본에 있는 곡들 중 몇 곡을 더 연주했다. 찬송가를 제외하면 내가 칠 줄 아는 건 그게 전부였다.

나는 다른 곡들보다 찬송가를 더 잘 쳤다. 주일학교에서 찬송가를 부를 때 내가 반주를 했기 때문이다. 찬송가 책을 펼쳐 놓고 내가 가장 좋아하는 두 곡을 연주했다. 「주 하나님 지으신 모든 세상」과 「정원에서」였다. 멜로디는 좋았지만 피아노곡이라기보다는 합창곡이었다. 「정원에서」를 아주 조심스럽게 연주하며 뒤돌아보니 그가 의자에 잠들어 있었다. 자다가 의자에서 떨어질까 봐 연주를 멈추었더니 그가 잠에서 깨어났다.

"고맙다. 잘 치는구나."

그가 말하고는 덧붙였다.

"오늘 저녁이 내 평생 최고의 저녁이야."

"평생요? 아니면 전쟁 이후에요?"

내가 물었다.

"말했잖아. 평생이라고."

그는 좀 화가 난 것 같았다. 물론 열이 있으니 기분이 좋지 않을 것이다.

그러고 나서 그는 침대로 갔다. 나는 그에게 침실 문을 열어놓으라고 말한 뒤 밤새 탈 만한 굵직한 장작을 벽난로에 넣었다. 나는 2층 침실로 올라갔다. 내 방은 너무도 싸늘했다. 한겨울 같은 추위는 아니었지만 그래도 매서운 추위였다. 내겐 담요가 몇 장 있었고 나는 침대에 누워 이런저런 생각을 하며 몸을 따뜻하게 하려 애썼다.

찬송가를 연주하면서 나는 왠지 서글퍼졌다. 집에 있는데도 집이 그리웠다. 주일학교 생각이 났다. 학교에 다닐 때 다른 아이들과 함께 버스를 탔지만 주일학교에 갈 때면 엄마, 아빠와 함께 다 같이 좋은 옷을 차려입고 차를 타고 오그덴타운으로 향했고 그럴 때면 항상 신이 났다. 지금도 많은 일들이 기억난다. 나는 두 살 때부터 주일학교에 다녔고 주일학교는 나의 놀이방이자 어린이집이었다.『성경으로 배우는 알파벳』이라는 그림책으로 알파벳을 익혔다.

첫 쪽에는 "A는 아담의 A"라고 적혀 있고 사과나무 옆에 흰색 긴 가운을 입은 아담의 그림이 있었다. 성경에 나온 것과는 다른 옷이었지만 어린아이들을 위한 책이어서 그럴 수밖에 없었을 것이다. 책장을 넘기면 "B는 벤자민의 B", "C는 크리스천의 C" 하는 식이었다. 마지막 쪽에는 "Z는 자카리아의 Z"라고 되어 있었다. 아담이 최초의 인간이었기 때문에 나는 아주 오랫동안 자카리아가 최후의 인간일 거라고 생각했다. 나는 알파벳을 전부 그 책으로 익혔고 학교에 들어갈 무렵에는 이미 책을 조금 읽을 줄 알았다.

주일학교와 화가 난 루미스를 생각하니 다시 동굴로 돌아가고 싶다는 생각이 들었다. 동굴이 왠지 더 아늑하게 느껴졌다. 결국 나는 거기서 자기로 했다. (나는 동굴에 담요와 이런저런 물건들을 남겨 두었다.) 동굴에서 자고 아침 일찍 돌아오면 내가 거기서 잤단 걸 모를 것 같았다. 나는 침대에서 일어나 조용히 계단을 내려가서 문으로 향했다. 그가 잠든 방을 지나칠 때 고함이 들렸다. 잠시 후 또 한 차례 고함이 들려왔다. 그가 큰 소리로 말하고 있었지만 무슨 소릴 하는지 알아들을 수가 없었다. 단지 너무도 고통스러운 목소리여서 어쩌면 도움이 필요한 상황인지도 모른다는 생각이 들었다. 그래서 그의 방문 쪽으로 다가가 보았다. 그는 꿈을 꾸고 있었다. 악몽인 것이 분명했다. 그는 몹시 화가 나서 소리를 지르고 있었다. 누군가의 말을 듣는 듯 잠시 멈추기도 했다. 나는 대화의 반 정도를 알아들었다. 확실치는 않았지만 에드워드라는 사람과 얘기를 하고 있었다.

"자네가 책임을 지겠다니, 무슨 책임을 진다는 거지?"

잠시 침묵이 흘렀다.

그리고 다시 그가 말했다.

"그럴 리가 없어, 에드워드. 이제 가 봐야 소용이 없다고."

또다시 침묵.

"그런다고 뭐가 달라지지? 그 사람들은 죽었어. 살아 있을 가능성이 없다고. 모르겠어? 마리는 죽었어. 빌리도 죽었어. 자네가 가 봐야 이미 늦었다고."

그는 한참을 그렇게 떠들었고 그의 목소리는 점점 더 작아지다가 마침내 거의 들리지 않는 웅얼거림이 되었다.

그러고 나서 그가 소리쳤다. 아주 다급한 목소리로.

"당장 거기 서. 난 분명 경고했어. 당장 거기서 떨어지지 않으면……."

마지막 말은 이해할 수가 없었다. 그리고 그 뒤로 아주 끔찍한 신음 소리가 이어졌다. 얼마나 괴로운 신음 소리였는지 아마도 꿈속에서 다친 것 같았다.

그리고 마침내 침묵이 흘렀다.

나는 침실 쪽으로 살금살금 다가가 귀를 기울였다. 그의 숨소리가 규칙적이고 편안해졌다. 어떤 악몽이었는지 몰라도 끝난 게 분명했다. 그래도 걱정이 되었다. 그저 단순한 악몽이었을까? 아니면 아파서 헛소리를 했던 걸까? 그의 상태가 악화될까 봐 두려웠다. 아무래도 동굴로 가지 않는 게 좋을 것 같았다. 혹시라도 그가 도움이 필요할 수도 있으니까.

나는 다시 2층으로 올라가 담요 속으로 들어갔다. 잠시 후 문간에서 낑낑거리는 소리가 들렸고, 문을 열어 주었더니 파로가 들어왔다. 파로는 내 곁에 누워 바로 잠이 들었다.

# 여덟

6월 3일 (이어서)

새벽에 눈을 떴을 때 좋은 생각이 떠올랐다. 어떻게 하면 샐러드를 만들 수 있을지. 그런 생각이 떠오른 건 꿈에 엄마가 바구니를 들고 들판을 가로질러 숲으로 들어가는 걸 보았기 때문이다. 눈을 뜨는 순간 엄마가 꿈에서 무얼 하고 있었는지 생각났다. 엄마는 6월 초가 되면 늘 그랬던 것처럼 갓, 민들레 잎, 미국자리공 같은 풀을 뜯었다. 연못 너머 들판 가장자리에 야생초들이 자랐다. 들에서 자라는 갓은 미나리와 비슷하게 생겼는데 민들레 잎과 섞으면 근사한 샐러드가 된다. 미국자리공은 익혀서 먹어야 했는데 어린 잎은 시금치와 맛이 비슷했다. (하지만

90

자라면 맛이 씁쓸해지고 독성도 생겼다.) 엄마는 봄이 되면 바구니를 들고 야생초를 뜯으러 나갔고 그럴 때면 데이비드와 조지프도 엄마를 따라나섰다. 물론 파로도 같이. 지금껏 그 일을 잊고 있었다. 때로는 꿈이 도움이 되기도 한다.

그 생각에 흥분한 나는 침대에서 펄쩍 뛰어내렸다. 나는 바구니가 정확히 어디 있는지 알았다. 부엌 찬장 선반 위에 있었다. 풀이 어디서 자라는지도 알았다. 녹색 채소가 간절한 사람이 나 혼자만은 아니었다. 루미스는 나보다 더했을 것이다. 1년 넘도록 채소를 구경조차 못 했을 테니까. 그나마 나는 지난여름 텃밭에서 채소를 거두어 먹었다. 바구니를 가지러 가다가 어젯밤 그의 악몽이 떠올랐고 그의 상태가 다시 악화되었을까 봐 걱정이 되었다. 나는 조용히 다가가 그가 자고 있는 방 문에 귀를 대어 보았다. 문이 여전히 조금 열려 있었다. 곤히 잠든 것 같았다. 숨소리가 조용하고 규칙적이었다. 나가도 되겠다는 생각이 들었다. 멀리 가진 않을 테니까. 나는 선반에서 바구니를 내려 들고 저장실에서 우유 한 잔을 가져다 마신 뒤 밖으로 나갔다. (나는 늘 그 저장실에 우유와 달걀, 버터를 둔다. 항상 서늘하기 때문이다.) 아침은 나중에 만들 생각이었다.

날씨가 선선했지만 그래도 상쾌했다. 7시가 다 되었는데도 아직 환하진 않았다. 8시는 되어야 해가 산봉우리 위로 떠오를 것이었다. 나는 연못을 지나 길을 따라 걷다가 왼쪽으로 돌아서 들판을 가로질렀다. 파로가 보는 것마다 킁킁거리며 나를 따라 왔다. 풀잎이 축축해서 운동화가 바로 젖었고 청바지 밑단까지 젖었다. 나는 바지를 무릎까지 걷어 올렸다. 그런데도 행복했다. 뒤쪽 연못에서 아마도 농어인 것 같은 큼직한 물고기 한 마리가 뛰어올랐다가 첨벙 하고 다시 뛰어드는 소리가 들렸다. 나는 생각했다. 야생초를 뜯은 다음엔 아침을 준비하고, 그다음엔 낚시를 해야지. 운이 좋으면 저녁 식사 때 샐러드와 함께 먹을 농어를 한두 마리 잡을 수도 있을 것이다. 식용유와 식초 드레싱을 만들고 신선한 빵도 새로 구워야지.

들판 가장자리에 이르렀을 때 갑자기 파로가 멈추어 서서 사냥감을 가리키는 시늉을 했다. 녀석은 꼬리를 빳빳하게 세우고 한 발을 들고, 코를 앞으로 내밀었다. 놀라운 일이었다. 골짜기에 아직도 메추라기가 살고 있었나? 믿을 수 없었다. 메추라기 소리를 들은 적이 없었는데. 나는 파로를 따라가 보았다. 토끼한 마리가 풀숲으로 숨어들었다. 데이비드는 파로가 토끼를 가리킬 때마다 야단을 쳤지만 나는 그러지 않았다. 사실 파로가 알려 줄 만한 사냥감이 남아 있지도 않을뿐더러 토끼도 훌륭한 음식 재료가 될 수 있었다. 나는 파로를 쓰다듬으며 "잘했어, 파로!" 하고 칭찬해 주었다. 녀석은 내게 총이 없어서 실망했을 것이다.

나는 갓과 민들레 잎을 따고 나서 숲이 시작되는 지점에서 이제 막 돋아나기 시작한 연한 미국자리공도 뜯었다. 30여 분 만에 바구니를 가득 채울 만큼 풀을 뜯었다. 두 바구니를 채울 수도 있었다. 그리고 그곳에서 나는 환상을 보았다. 야생초가 가득 담긴 바구니에서 갑자기 아름답고 달콤한 향기가 번져 나오는 것이었다. 있을 수 없는 일이었다. 어디서 나는 향기일까 궁금해하며 주위를 둘러보았다. 그런데 5미터 정도 앞에, 숲 가장자리에 꽃이 흐드러지게 핀 사과나무 한 그루가 서 있었다.

거기 사과나무가 있다는 걸 알았고 종종 사과를 따먹기도 했다. 엄마는 그 사과를 따서 젤리를 만들기도 했다. 향은 좋았지만 사과가 작고 딱딱한 데다 조금 시큼했다. (헛간 뒤쪽에 더 먹기 좋은 사과가 열린 나무들이 있었다.)

그 사과나무가 그렇게 아름답고 향긋한 줄은 몰랐다. 그렇게 보인 이유는 아마도 바람이 없어서 꽃향기가 흩어지지 않고 머물러 있었기 때문일 것이다. 아직 해가 환히 떠오르지 않아서 어스름한 아침 햇살에 나뭇가지와 흰 꽃들이 너무도 신비롭고 섬세해 보였고 마치 마술 같았다. 나는 몇 발짝 다가가 풀밭에 앉아 나무를 바라보았다. 그리고 생각했다. 언젠가 행여라도 내가 결혼하게 된다면 사과 꽃으로 교회를 장식하겠다고. 그러려면 5월이나 6월 초에 결혼을 해야 할 거라고.

나는 계속 상상했다. 내년 6월이면 나는 열일곱 살이다. 지금까지 데이트라곤 딱 한 번밖에 하지 못했다. 중학교에 다니던 열

세 살 때였다. 하워드 피터슨이라는 남자애가 학교 댄스파티에 같이 가자고 했다. 학교가 오그덴타운에 있었기 때문에 엄마가 댄스파티에 날 데려다주었고 파티가 끝날 때까지 다른 엄마들하고 자리를 지켰다. 그 만남을 '데이트'라고 부를 수 있는 유일한 이유는 하워드가 1인당 50센트인 우리 입장료를 계산했기 때문이다. 다른 남자 친구들도 있긴 했지만 학교에서만 보거나 방과 후에만 만났다. 사실 고등학교 시절 오그덴타운에 사는 남자애들은 버스를 타고 등교하는 우리 같은 애들을 아웃사이더, 시골 애들, 촌스러운 애들로 취급했다.

따라서 결혼을 상상한다는 건 내게 엄청난 비약이었다. 그래도 나는 상상했다. 루미스의 병이 회복되면 우리가 앞으로 1년 뒤 결혼하지 못할 이유도 없다고. 내년 6월, 아마도 내 열일곱 번째 생일날 결혼할 수도 있을 거라고. 주례를 설 목사는 없겠지만 결혼식에 대해서라면 찬송가 책 뒷장에 다 나와 있다. 어쨌든 결혼식은 꼭 치러야 한다. 그것만은 양보 못 한다. 날짜를 잡아 놓고 꽃으로 장식한 교회에서 결혼식을 해야지. 이런 생각만으로도 설렜다. 엄마의 웨딩드레스를 입어야 할지도 모르겠다고도 생각했다. 어디 두었는지도 알았다. 엄마의 옷장 안에 고이 보관되어 있었다.

그제야 한 가지 생각이 떠올랐다. 루미스는 그럴 생각이 조금도 없어 보인단 사실. 하지만 아직 그런 생각을 하기엔 너무 이른 데다 그는 몹시 아프다. 회복이 되면 그런 얘길 나누어 볼 수도 있을 것이다.

나는 또 생각해 보았다. 10년 뒤, 나의 아이들과 함께 풀을 뜯으러 여기 오면 어떤 기분일지. 그런 생각을 하다 보니 엄마에 대한 그리움이 밀려들었다. 떨쳐 버리려 애써 왔던 감정이었다. 나는 그 생각을 안 하려고 자리에서 일어났다. 그리고 주머니칼로 사과 꽃이 핀 가지 하나를 잘랐다. 루미스의 방에 가져다 놓을 생각이었다.

집으로 향했다. 집으로 돌아가는 길에 산등성이 위로 해가 떴지만 그와 거의 동시에 구름이 그 뒤를 바짝 쫓았고 바람에 여전히 한기가 남아 있었다. 좋은 일이었다. 아직 텃밭에 씨도 못 뿌렸고 여름이 가까워지고 있었기 때문에 날씨는 서늘할수록 좋았다.

집 안은 쥐 죽은 듯 고요했다. 나는 사과 꽃을 꽃병에 꽂아 놓고 야생초는 서늘한 저장실에 두었다. 저녁 식사 때 내놓아 깜짝 놀라게 해 줄 생각이었다. 그러고 나서 아침을 준비했다. 달걀, 통조림 햄, 비스킷 몇 조각. 헛간에 있는 스토브를 집 안으로 들여왔으면, 그래서 제대로 된 요리를 할 수 있었으면 싶었다. 조만간 볼트를 풀어 스토브를 해체할 수 있는지 알아봐야겠다고 생각했다.

나는 아침 식사와 꽃병을 올려놓은 쟁반을 들고 조금 열려 있는 문을 노크했다. 기척이 없어서 문을 열고 안을 들여다보니 집 안이 왜 그렇게 고요했는지 알 것 같았다. 그는 방에 없었다.

곧바로 걱정이 밀려들었다. 그가 간밤에 악몽을 꾸었다는 걸 알고도, 어쩌면 그게 고열의 징조일 수 있다는 걸 알고도 그를 혼자 두다니 내가 어리석었다는 생각이 들었다. 어쩌면 그는 제정신이 아닌 상태로 어딘가를 헤매고 있을지도 몰랐다. 집 안 어딘가에 있을까? 그를 불러 보았지만 대답이 없었다. 음식이 식지 않도록 쟁반을 불가에 내려놓고 현관으로 나가 보았다.

다행이었다. 그의 모습이 곧바로 눈에 들어왔다. 버든 시내에서 멀지 않은 곳에, 도로변의 커다랗고 둥근 바위에 앉아 있었다. 그는 이어폰이 달린 가이거 측정기를 들고 시내 상류 쪽을 바라보고 있었다.

내가 다가가자 그가 고개를 들어 나를 보았다.

"네가 도망친 줄 알았어."

"괜찮으세요?"

나는 여전히 그가 걱정스러웠다.

"괜찮아. 실은 오늘 아침, 몸이 너무 가뿐해서 혹시 네가 눈금을 잘못 읽은 게 아닌가 의심이 들더구나. 아니면 측정기가 꺼져 있었거나. 그래서 다시 재어 보려고 나왔어."

제발 내가 잘못 읽었기를! 그보다 더 간절히 무언가를 원했던 적은 없었던 것 같다.

그러나 내가 잘못 읽은 게 아니었다. 그가 말을 이었다.

"부질없는 짓이었어. 네가 제대로 읽었더구나. 300뢴트겐 이하일 확률은 전혀 없어."

적잖이 실망했을 텐데도 그는 언제나처럼 침착했고 겁에 질린 것 같지도 않았다.

"잘못 읽은 거였으면 좋았을 텐데⋯⋯."

내가 말했다.

"그렇다고 더 나빠진 것도 아니니까. 그저 희망 사항일 뿐이었어. 어쨌든 네가 안 보여서 여기 앉아 이 시내에 대해서 생각해 봤단다."

"어떤 생각요?"

"이 물은 방사능에 오염됐어. 그건 의심의 여지가 없어. 하지만 그렇다고 해서 전혀 쓸모가 없는 건 아니야. 저기를 봐."

그가 30미터 정도 떨어진 상류 쪽을 가리켰다. 커다란 바윗덩어리 하나가 시내의 물줄기를 막고 있어서 조그만 폭포가 만들어지는 곳이었다.

"저건 일종의 천연 댐이야. 언제였는지는 몰라도 누군가가 일부러 가져다 놓은 것 같아."

"맞아요. 아빠한테 들었어요. 할아버지가 거기 조그만 방앗간을 지으셨다고. 밀을 빻는 방앗간이었대요. 아저씨가 앉아 있는 바위도 방앗간의 일부라고 하셨어요. 닳아서 매끄러워진 거라고."

"내가 생각한 건 방앗간이 아니라 전기야. 몇 미터 높이로 댐을 지을 수만 있다면 물 흐름이 상당히 셀 거야. 그걸로 조그만 발전기를 가동시킬 수가 있어."

"하지만 발전기가 없는걸요. 더구나 댐을 지으려면 어쩔 수 없이 몸이 물에 닿을 텐데, 너무 위험하잖아요."

"안전복을 입지 않고 방심하면 위험하겠지. 발전기를 만들긴 쉬워. 모터 하나만 있으면, 그리고 땜질만 좀 할 수 있으면 만들 수 있어."

"모터를 어디서 구하는데요?"

그 순간 기억이 났다. 아빠가 작업실로 쓰던 헛간에 두세 개가 있었다. 하나는 숫돌에 연결되어 있었고 또 하나는 회전 톱에 연결되어 있었다. 그 애길 하자 그가 미소를 지었다.

"농장엔 항상 모터가 몇 개는 있게 마련이지. 어려운 건 물레바퀴를 만드는 작업이야. 그런데 왠지 만들 수 있을 것 같구나. 통나무하고 회전축 같은 게 필요해. 모양이 근사하진 않겠지만 작동은 될 거야."

"그럼 전구에 불이 들어올까요?"

"물론. 좀 깜빡거릴 순 있겠지만 불은 켜질 거야. 다른 것보다 냉장고, 냉동고 같은 걸 쓸 수 있겠지. 그런 건 전기가 별로 많이 안 들거든."

다시 냉장고를 쓸 수 있다면! 냉동고도! 그러면 겨우내 먹을 야채와 과일을 얼릴 수도 있을 것이다. 그 생각을 하는 순간 벽난로 불가에서 말라 가는 그의 아침 식사가 떠올랐다. 나도 아무것도 먹지 못했다. 우유 조금과 야생초를 조금 뜯어 먹은 게 다였다.

아침 식사를 하고 나서 소젖을 짜고 텃밭에 씨를 조금 더 뿌렸다. 멜론, 근대, 그리고 콩을 몇 줄 심었다. 감자 씨도 조금 남은 게 있었다. 씨가 좀 마르긴 했지만 왠지 다 잘될 것만 같았고 기운이 넘쳐서 일단 심어 보았다. 어쩌면 싹이 날지도 모른다.

그다음엔 낚싯줄을 챙겨 (누워 있는) 루미스에게 연못에 다녀오겠다고 말했다.

그가 일어나 침대 가장자리에 앉았다.

"나도……."

나는 그가 말을 끝내기를 기다렸다.

"같이 가자."

"낚시하러요? 열은 좀 내렸어요?"

마음이 아팠다. 그가 같이 가면 신날 것 같았지만 연못은 400미터 거리였다.

"똑같아. 37.7도. 그렇게 높진 않아."

"추울 텐데."

"담요 가져가면 돼."

"코트 꺼내 드릴게요."

나는 벽장에서 아빠가 입던 코트를 꺼냈다. 같이 가도 괜찮을 것 같았고 그에게도 뭔가 할 일이 있어야 한다는 생각이 들었다.

"낚시하고 싶으세요?"

그는 조금 당황한 표정이었다.

"실은 한 번도 해 본 적이 없단다. 할 줄 몰라."

"제가 보여 드릴게요. 제 방식은 아주 쉽거든요. 그냥 낚시 바늘에 벌레를 꿰어서 물속에 넣어요. 가끔 찌를 이용할 때도 있지만 그냥 할 때도 있어요."

"찌?"

그는 낚시에 대해 아무것도 모르는 것 같았다.

"코르크로 만든 작은 공이에요. 이게 있으면 미끼가 물에 가라앉지 않아요."

내가 주머니에서 찌를 하나 꺼내 그에게 보여 주었다.

"낚싯대 하나 더 있니?"

"네. 데이비드가 쓰던 거 있어요."

데이비드의 옷장에 있었다.

우리는 함께 연못으로 향했다. 루미스는 아빠의 코트를 입고 데이비드의 낚싯대를 들고 걸었다. 그러나 결국 연못까지 가지 못했다. 100미터 정도 걷고 나서 그의 걸음이 느려지기 시작했고 머지않아 그는 비틀거리다가 낚싯대를 떨어뜨렸다.

"미안하다. 더 이상 못 걷겠어."

그의 낯빛이 갑자기 창백한 푸른빛이 되었다. 안색이 말이 아니었다.

"저한테 기대세요. 낚싯대는 그냥 두세요. 일단 돌아가야겠어요."

"빈혈이야. 예상해야 했는데…… 이게 가장 확실한 증상이란다. 피폭 5일에서 7일 사이에 나타나는 증상이지. 오늘이 7일째거든."

우리는 천천히 집으로 향했다. 그는 서 있는 것조차 힘들어 했다.

"일단 눕는 게 좋겠어요."

내가 말했다.

"그래."

그는 길가 풀밭에 등을 대고 누워 눈을 감았다. 그의 얼굴이 차츰 혈색을 회복했다.

"증세가 너무 갑자기 나타나네요."

"아니. 걸어서 그래. 이미 증세가 좀 있긴 했어."

"이제 어떻게 해야 하죠?"

"아무것도. 다시 집으로 데려다 다오. 그리고 낚시 다녀와."

그래서 나는 그렇게 했다. 집으로 돌아가서 잠시 그의 침대 밑에 앉아 있다가 다시 연못으로 나갔다. 낚시는 짜증스럽고 실망스러웠다. 빈혈은 더 심해지진 않아도 한동안은 앓아야 회복될 거라고 했다. 그러고 나서 서서히 사라질 거라고. 그러나 왠지 이게 끝의 시작인 것만 같았다. 아니, 끝이라기보다는 나쁜 시간의 시작인 것 같았고 그날 아침에 했던 모든 공상이 한심하게 느껴졌다.

30여 분 동안 농어를 세 마리 잡았다. 다행히 고기들이 입질을 했다. 그리고 집으로 돌아왔다.

그는 한결 나아 보였고 일어나 점심 식사 준비까지 거들었지만 아주 천천히, 조심스럽게 움직였다. 식사를 마치고 나서 그는 곧바로 누웠다. 잠시 후 방을 들여다보니 잠들어 있었다. 나는 그의 머리맡에 깨끗한 물을 한 컵 가져다 놓았다.

스토브 생각을 떨쳐 버릴 수가 없었다. 그래서 그가 자는 동안 헛간에 가서 아빠의 연장통에서 렌치와 적재기, 스크루드라이버, 망치를 꺼낸 다음 작업을 시작했다. 스토브는 의외로 쉽게 해체되었다. 지난겨울 볼트에 기름을 쳐 둔 덕분이었다. 그런데도 작업하다가 손톱을 두어 개 부러뜨렸다. 해 질 무렵에는 스토브를 전부 해체해서 바닥에 늘어놓을 수 있었다. 분리된 부품들은 내 힘으로 옮길 수가 있었다. 하나만 빼고. 무쇠로 만든 커다란 화실이 문제였다. 쇠살대와 문짝을 떼어 냈는데도 화실은 꽤 무거웠다. 몇 번을 굴려 헛간에서 찾은 갈색 시트 위에 올려놓았다. 시트 한 면은 매끄러웠기 때문에 (매끄러운 면을 바닥으로 놓고) 시트를 썰매 삼아 화실을 끌었다. 손수레를 헛간 문 바로 앞에 가져다 놓고 쇠살대도 시트로 거기까지 끌고 가서 손수레에 실을 생각이었다. 만약 혼자 못 들면 루미스가 건강을 회복할 때까지 기다려야 했다. 그러나 거기까지 해 보진 못했다. 손수레에 실을 준비가 끝났을 때 소젖을 짤 시간이 되었고 그러고 나서는 씻고 저녁 준비를 시작해야 했다.

상황이야 어찌 됐건 농어와 조리한 채소, 샐러드가 곁들여진 저녁 식사는 훌륭했다. 몇 달 동안 구경도 못 하다가 맛보는 신선한 야채는 맛이 기가 막혔다. 루미스의 경우엔 거의 1년 만일 것이다. 엄마가 일요일이나 크리스마스, 추수감사절, 생일날에나 쓰는 고급 도자기 그릇들을 꺼냈다. 아, 그러고 보니 한 가지 잊은 게 있었다. 촛불. 집 안에 초가 몇 개 있었지만 동굴에 가져다 놓았다. 창고에도 있었지만 그걸 생각해 냈을 땐 이미 늦었다. 그러나 기름 램프만으로도 멋진 조명이 되었다. 물론 그다지 낭만적이진 않았지만. 거의 4인분에 달하는 분량이었는데도 우리는 농어를 전부 다 먹었고 채소와 샐러드도 다 먹어 치웠다.

저녁 식사 후, 여전히 서늘해서 벽난로에 불을 지폈다. 루미스가 재미있어할 만한 책들을 발견했다. 헛간 작업대 선반에 있던 《농장 기계 정비》라는 책들이었다. 연감처럼 1년에 한 번 나오는 간행물인데 모터의 설계도, 전선 구조, 펌프, 저장고, 건초 묶는 기계에 관한 내용이 담겨 있었다. 그는 그 책들을 한참 읽었다. (전부 여덟 권이었다.) 나는 그가 모터를 연결하는 방법을 공부하면서 그 외에도 이런저런 다른 계획을 세우고 있단 걸 알 수 있었다.

# 아홉

6월 3일 (이어서)

다음 날 아침, 놀라운 일이 일어났다. 내가 트랙터를 몰았다. 《농장 기계 정비》를 통해 얻은 실질적인 수확이었다.

아침 식사 준비를 마치고 방으로 들어갔을 때 루미스는 침대에서 팔꿈치로 몸을 일으켜 세운 자세로 내가 가져다준 책들 중 한 권을 읽다가 내게 보여 주었다. 가솔린 펌프의 내부 구조를 그려 놓은 설계도들이었다. 슈퍼마켓에 있는 가솔린 펌프와 똑같아 보였다. 생각해 보니 그런 설계도가 책에 나와 있는 건 놀라운 일이 아니었다. 규모가 큰 농장 중에는 자체적으로 펌프를 보유하고 있는 곳이 많았다. 아미시 농장 중 서너 곳도 그랬던 것으로 기억한다. 농부들은 당연히 고장 난 펌프를 수리하는 법을 알아야 했을 것이다.

"이걸 좀 봐."

루미스가 설계도 하나를 가리키며 말했다. 조그만 전기 모터의 바퀴가 보다 큰 바퀴에 벨트로 연결되어 있는 그림이었다.

"이 바퀴가 펌프를 실제로 돌리는 거거든. 여길 봐."

그가 가리킨 곳을 보니 큰 바퀴 가장자리에 뚫린 작은 구멍에 화살표가 표시되어 있었다. 화살표 끝에는 동그라미가 쳐진 7이라는 숫자가 적혀 있었다.

"표에서 7번을 찾아봐."

설계도 밑에 각 부품에 대한 설명표가 있었다. 7번을 찾아보니 "전기 공급이 중단되었거나 전기가 없는 지역에서 수작업으로 펌프를 사용해야 하는 경우 핸들 H를 이곳에 연결하시오. V 벨트는 제거하시오."라고 적혀 있었다.

"핸들 H가 뭐예요?"

내가 물었다.

그는 책장을 넘겨 다른 설계도를 보여 주었다. '핸들 H'는 문고리처럼 생긴 일종의 손잡이로 7번 구멍에 들어가도록 핀이 달려 있었다. 보기엔 간단해 보였다. 그렇게 되면 바퀴가 일종의 크랭크(왕복 운동을 회전 운동으로 바꾸거나 그 반대의 일을 하는 기계 장치/ 옮긴이) 역할을 할 수 있을 것이다.

"이렇게 연결해서 밸브를 켜면 가솔린이 나와요?"

내가 물었다.

"기도부터 하렴. 당연히 가솔린이 나와야지. 벨트 제거하는 거 잊지 마라."

"어떻게요?"

"드라이버로 나사를 풀어."

"그냥 잘라 버리면 되잖아요."

"안 돼. V 벨트는 아주 유용해. 이젠 더 이상 구할 수도 없어."

그가 단호하게 말했다.

나는 슈퍼마켓으로 가서 입구에 설치된 가솔린 펌프를 (처음으로!) 찬찬히 살펴보았다. 내가 수천 번은 보고 지나쳤던, 빨간색과 흰색으로 칠한 평범한 가솔린 펌프로, 한쪽은 고급, 한쪽은 보통 가솔린이었다. 자세히 보니 앞부분이 마치 문처럼, 한쪽은 경첩이 달려 있고 반대쪽은 나사로 고정되어 있었다. 슈퍼마켓에 있는 드라이버로 나사들을 풀어 낸 다음 틈새에 드라이버를 넣고 힘을 주었더니 끽 소리와 함께 문이 열렸다. 내부는 설계도에 나왔던 모양 그대로였다. 모터, 벨트, 바퀴, 그리고 통으로 연결된 파이프들이 있었다. 문 안쪽에 달린 거치대에 고정된 핸들 H도 보였다.

나는 바퀴에 둘러진 벨트를 떼어 내려 해 보았지만 무겁고 뻣뻣한 고무 재질인 데다 무척 팽팽했다. 결국 나는 나사못 몇 개를 풀고 모터에서 바퀴 하나를 떼어 벨트와 분리한 다음 다시 바퀴를 제자리에 넣고 나중에 필요할 때 쓸 수 있도록 벨트도 그 위에 놓아두었다.

설레는 마음으로 거치대에 있던 '핸들 H'를 큰 바퀴(지름 14센티미터)에 있는 구멍에 끼웠다. 그러고 나서 가솔린 펌프의 호스를 내린 다음 한 손으로는 호스 분사구를, 다른 손으로는 밸브를 잡았다. 이제 밸브를 켜기만 하면 되었다. 어느 쪽이지? 밸브의 화살표를 보니 시계 반대 방향이었다. 밸브를 돌리자 10초 후 호스 분사구에서 내 발치 자갈밭 위로 액체가 쏟아져 나왔다. 냄새를 맡아 보니 틀림없는 가솔린이었다.

나는 일단 밸브를 잠그고 슈퍼마켓에서 18리터짜리 통을 가져와 가솔린으로 채웠다. 한 걸음 내디딜 때마다 통에 다리를 부딪혀 가면서 통을 들고 헛간으로 돌아와 곧바로 트랙터의 연료 탱크를 채웠다. 오일 상태를 확인해 보니 괜찮았다. 자동 시동 장치가 있었지만 당연히 배터리가 다 닳아 있었다. 그러나 그런 일은 전에도 여러 번 있어서 수동으로 시동 거는 법을 알았다. (우리 가족은 모두 여덟 살 때부터 트랙터를 몰았다.) 먼저 아빠가 가르쳐 준 방식대로 카뷰레터에 오일을 넣은 다음, 가솔린 펌프 앞에서 깜빡 잊고 못 했던 기도를 하고 힘껏 기어를 넣었다. 요란한 굉음과 함께 곧바로 시동이 걸렸고 나는 트랙터 후드를 다독여 주고 싶은 심정이었다. 그래서 실제로 그렇게 했다. 트랙터의 소음은 믿을 수 없을 정도로 컸다. 정적 속에서 1년을 보내다 보니 기계의 소음이 얼마나 요란한지 잊고 있었다.

헛간 안이라 더 크게 들린 탓도 있었다. 나는 트랙터를 후진해 헛간 밖으로 몰았다. 소리가 한결 덜 시끄러웠다. 루미스도 분명 소리를 들었겠지만 그에게 보여 주고 싶어서 집 쪽으로 트랙터를 몰아 그의 방 창문 앞에 세웠다. 몇 년 전만 해도 트랙터 몰기를 정말 싫어했다. 그 생각을 하면서 하마터면 웃을 뻔했다. 오그덴타운에 사는 여자애들은 트랙터를 몰지 않았다. 그러나 이제 나는 엄청난 노동과 시간을 절약할 수 있다는 생각에 마냥 기뻤다. 그래서 그 기쁨을 그와 나누기 위해 집으로 들어갔다.

그는 침대 가장자리에 앉아 있었고 의외로 담담했다.

"핸들 H를 찾았구나."

"네. 밸브를 켰더니 바로 가솔린이 나왔어요. 탱크에 가득 차 있는 것 같던데요."

"탱크에 가득 차 있다면 1만 1,000리터 정도 되겠구나. 《농장 기계 정비》에 그렇게 나와 있더라. 표준 탱크 한 통이 그 정도 용량이라고."

너무 흥분한 나머지 다른 펌프의 밸브는 켜 보지도 않았다. 그렇다면 합해서 2만 2,000리터!

나는 트랙터를 다시 헛간에 들여놓고 경작기에 연결해 두었다. 앞으로 무얼 할지 이미 결정했다. 집에서 헛간 쪽으로 가다

보면 오른쪽으로 초원과 들판, 연못, 그리고 개울이 펼쳐져 있다. 반면 왼쪽에는 과일나무 몇 그루와 1,800평 정도의 밭이 있다. 아빠는 그 밭에 몇 년간 멜론이나 호박 같은 것들을 심었다. 오그덴타운에 내다 팔기 위해서였다. 그러나 들이는 시간에 비해 남는 게 없다면서 밭농사를 접었다. 그게 5년 전이었다. 그 뒤로는 그저 풀만 깎았고 씨는 뿌리지 않았다.

트랙터를 다시 몰 수 있다면, 그래서 밭을 갈고 곡식을 기를 수 있다면 그곳에 옥수수를 심기로 했다. 그리고 콩도 몇 줄. 그것들은 집 앞 텃밭에 심기엔 자리를 많이 차지했다. 옥수수는 우리도 먹을 수 있고 닭도 먹을 수 있다. 그래도 남는 게 있으면 소가 줄기까지 먹을 것이다.

트랙터가 작동되고 보니 지금까지 애써 외면해 왔던 우울한 현실을 직시하게 됐다. 바로 슈퍼마켓이 하나의 신기루라는 사실이다.

처음엔 슈퍼마켓이 내게 필요한 모든 걸 영원히 공급해 줄 것만 같았다. 그러나 현실은 그렇지 않았다. 그곳에는 밀가루, 곡물 가루, 옥수수, 설탕, 통조림 몇 상자가 있었다. 그러나 아마도 소금과 설탕을 제외하면 대부분의 것들은 설령 내가 다 쓰지 않는다고 해도 오래가진 않을 것이다. 이미 1년이 지났고 앞으로 5년 정도가 지나면 대부분은 상할 것이다. (통조림 종류는 좀 더 오래갈 수도 있겠지만 나도 정확히 알지 못한다.)

슈퍼마켓에는 다양한 종류의 씨앗도 구비되어 있다. 옥수수, 밀, 귀리, 보리 그리고 시장에 내다 팔 수 있는, 이곳에서 기를 수 있는 거의 모든 종류의 채소와 과일의 씨앗들이 있다. 미처 생각해 볼 겨를은 없었지만 꽃씨도 있다. 그러나 모든 씨앗은 1년 내에는 싹을 틔우겠지만 2년을 묵히면 확률은 줄어들 것이고 3년 혹은 4년이 지나면 시들어 버릴 것이다.

루미스가 오기 전부터 나는 그 1,800평의 땅을 삽으로 갈 생각을 했다. 삽으로 갈려면 무척 힘들었을 것이다. 이미 5년 묵은 잔디로 뒤덮여 있었으니 더욱 그랬을 것이다. 그래서 나는 트랙터가 작동된다는 사실에 더더욱 흥분했고 하루빨리 그 밭을 갈고 싶었다.

밀이나 귀리, 보리보다는 옥수수를 더 많이 심어야겠다고 생각했다. 빵을 만들 밀가루를 얻으려면 밀을 길러야 하겠지만 밀을 가공할 방법이 없었다. 탈곡기도 없었고 제분기도 없었다. 그러나 우리 헛간에는 수작업으로 옥수수를 가루 내는 기계가 있었다. 물론 옥수수는 통으로 먹을 수도 있다. 콩도 마찬가지다.

밭을 막 갈기 시작하는데 마침내 해가 높이 떠올랐다. 등에 닿는 햇살이 따듯하고 기분 좋았다. 파로가 밭으로 나를 따라 나왔다. 파로는 훨씬 건강해 보였고 털도 다시 자라나기 시작했다. 녀석이 트랙터 주위를 빙글빙글 맴돌았다. 오래전 아빠가 밭을 갈거나 풀을 벨 때, 혹은 파로가 밭에 숨어 있는 메추라기와 자고새를 쫓을 때 생긴 습관이었다. 지금은 그런 새들이 있을 리 없지만 그래도 파로는 행복해 보였고 나 역시 마찬가지였다. 노래를 부르고 싶었지만 트랙터를 몰면서는 부를 수가 없었다. 노랫소리가 들리지 않을 테니까. 그래서 나는 이따금 그랬던 것처럼 시를 읊기 시작했다. 나는 시를 좋아한다. 내가 가장 좋아하는 시는 이렇게 시작된다.

오, 지구여, 죽을 운명으로 태어나는 불운한 행성,

아마도 나는 너의 기록자, 혹은 고해신부인지도……

전쟁이 난 이후 나는 그 시를 여러 번 생각했고 나 자신을 "지구의 기록자, 혹은 고해신부"로도 여러 번 생각했다. 그러나 나는 둘 다 아니었다. 나는, 적어도 당분간은, 지구의 종말을 막을 장본인, 혹은 지구의 종말을 막을 둘 중 한 명이었다. 지난 일주일 동안 나의 미래에 대한 생각이 어떻게 바뀌었는지 생각하니 터져 나오는 웃음을 멈출 수가 없었다.

밭을 가는 동안 트랙터의 소음을 뚫고 하늘에서 끼익 하는 소리가 들렸다. 나는 잠시 트랙터를 멈추고 고개를 들어 보았다. 하늘에 검은색 까마귀들이 선명하게 원을 그리며 날고 있었다. 열한 마리까지 셀 수 있었다. 새들이 아마도 밭 가는 소리를 기억했나 보다. 곧 씨앗이 나오리란 걸 녀석들은 알았다. 아빠는 해로운 짐승이라고 했지만 나는 까마귀들이 돌아온 게 반가웠다. 어쩌면 지구상에 남아 있는 유일한 야생 조류일지도 모르니까.

점심시간까지 밭의 반을 갈았다. 오후에 일을 마저 끝냈고, 다음 날 아침에 흙을 고르고 씨를 뿌릴 생각이었다. 그런데 계획을 바꿀 수밖에 없었다.

그날 밤, 루미스의 열이 40도까지 올라갔기 때문이다.

# 열

## 6월 3일 (이어서)

루미스가 아파서 그간 일어난 일을 이제야 기록한다. 한 번에
몇 분 정도밖엔 집을 비울 엄두를 내지 못한다.

오늘 아침엔 큰맘 먹고 집을 나와 젖을 짜러 헛간으로 달려갔
다. 최대한 빨리 달려갔는데도 집을 15분 정도 비우게 되었다.
돌아와 보니 이불은 바닥에 떨어져 있고 그가 침대에 앉아 새파
랗게 질린 채 떨고 있었다. 날 불렀는데 대답이 없어서 겁이 났
다면서. 열 때문인지 그는 혼자 있는 걸 두려워했다. 나는 그를
눕히고 침대를 정돈한 다음 담요를 더 가져다주었다. 주전자에
끓여 놓은 물이 있어서 물병에 따듯한 물을 담아 담요 밑에 넣어

주었다. 그가 폐렴에 걸릴까 봐 두렵다.

그의 상태가 악화된 건 어젯밤 저녁 식사 시간 무렵이었다. 그가 스스로 감지했다. 처음에 나는 상황을 파악하지 못했다. 우린 식탁 앞에 앉아 있었고 그는 두 숟가락 정도를 떠먹더니 아주 이상한 목소리로 말했다.

"못 먹겠다. 배가 안 고파."

내가 만든 음식이 별로 입맛에 안 맞는가 보다 생각했다. 삶은 닭과 소스, 비스킷, 콩이었다.

"다른 거 갖다 드릴까요? 수프 같은 거?"

그러나 그는 똑같은 목소리로 대답했다.

"아니."

그러고 나서 그가 의자를 뒤로 뺐다. 그 순간 그의 눈빛은 낯설었고 혼란스러워 보였다. 그는 불가에 놓은 의자에 앉았다.

"불이 거의 다 탔구나."

"날씨가 다시 포근해져서요. 그래서 꺼지게 내버려 뒀어요."

"난 추워."

그가 일어서서 침대로 갔다.

나는 아직 식탁에 앉아 식사를 하는 중이었다. (밭을 갈고 이런저런 일을 하느라 배가 고팠다.) 뭔가 잘못되었다는 걸 알아차렸어야 했지만 그런 생각이 들지 않았다. 몇 분 뒤 그가 침실에서 날 불렀다.

"앤 버튼!"

그가 내 이름과 성을 함께 부르긴 처음이었다. 침실로 가 보니 그가 체온계를 보고 있었다. 그가 내게 체온계를 건넸고 나는 눈금을 읽었다.

"시작이야."

그가 말했다.

가엾은 루미스. 어깨를 축 늘어뜨린 그는 무척 지치고 쇠약해 보였다. 그동안은 침착했지만 이제는 그도 두려워하고 있었다. 아마도 그는 기적이 일어나기를 바랐나 보다.

"괜찮으실 거예요. 40도면 그렇게 끔찍한 건 아니에요. 그래도 이불을 덮고 침대에 누워 계시는 게 좋겠어요. 그래서 그렇게 추우셨나 봐요."

이상한 일이 일어나고 있었다. 머지않아 열이 오르리란 걸 우리 둘 다 알았지만 그동안은 내 두려움이 더 컸다. (적어도 겉으론 그렇게 보였다.) 그런데 막상 실제로 열이 나기 시작하니 그는 눈에 뜨일 정도로 불안해했고 나의 두려움은 오히려 잦아들었다. 나는 침착해졌다. 내가 더 어른인 것처럼. 마치 그는 약해지고 나는 강해진 것 같았다. 아마도 그래서 의사와 간호사들이 끔찍한 전염병을 감당할 수 있는가 보다.

의사와 간호사들! 적어도 그들은 뭘 좀 아는 사람들이다. 그러나 이 방면으로 내가 받은 교육이라곤 학교에서 한 학기 동안 들은 '보건과 위생' 수업뿐이었다. 좀 더 많이 배워 두었더라면 좋았을 텐데. 그러나 나는 침착하게 생각하고 차근차근 대처하려 노력했다. 열이 나기 시작하면 한 주, 혹은 두 주 정도 지속될 거라 했다. 그 기간 동안 그가 얼마나 약해질지는 알 수 없었다. 어쨌든 아직은 돌아다닐 수가 있었기 때문에 그 상태를 최대한 유지해야 한다는 생각이 들었다.

첫 번째로 할 일은 그의 몸을 따듯하게 해 주는 것이었다. 나는 벽난로 불씨를 뒤적이고 장작을 더 넣었다. 그리고 부모님 침실에 있는 옷장에서 모직 잠옷을 꺼냈다. 보드랍고 두툼한 잠옷이라 아빠가 아주 추운 날에만 입는 옷이었다. 서랍에는 잠옷이 두 벌 더 있고 아마 슈퍼마켓에도 몇 벌은 남아 있을 것이다. 내가 가져온 잠옷은 빨간색과 흰색 체크무늬였다.

나는 잠옷을 그의 침대 맡에 놓았다.

"이거 입으세요. 따듯해요. 그리고 불도 다시 지폈어요. 우유도 좀 끓일게요. 식으면 드세요."

"말하는 게 꼭 간호사 같구나."

그가 미소를 지었다. 두려움이 덜해진 건지 아니면 좀 더 잘 감출 수 있게 된 건지 알 수 없었다.

"제가 간호사였으면 좋겠어요. 근데 실은 별로 아는 게 없어요."

"가엾은 앤 버든, 이제 내가 온 걸 원망하게 될 거다."

내가 정말 바랐던 게 무언지 그에게 말할 수 없었다. 어떻게 말할 수 있겠는가. 사과나무를 두고 했던 생각, 그날 아침 꽃을 꺾고 야생초를 캐며 상상했던 것들, 밭을 갈 때 어떤 기분이 들었는지를. 모든 게 허황된 꿈처럼 느껴졌고 왠지 서글펐다. 그래서 나는 말을 돌렸다. 그동안 마음에 걸렸던 일로.

"원망스러운 게 있다면……."

"뭔데?"

"아저씨가 그 시냇물에 들어가기 전에 미리 경고해 주지 못한 거요."

"네가 경고해 줄 수가 있었니? 그때 어디에 있었는데?"

"산 중턱에요."

동굴에 대해선 여전히 그에게 말하지 않았다.

"막을 수 있었는지는 잘 모르겠어요. 어쨌든 막았어야 했단 생각이 들어요."

"넌 그 물이 방사능에 오염된 걸 몰랐잖아."

"몰랐죠. 하지만 뭔가 이상하단 생각은 했어요."

"나야말로 알았어야 했어. 안 그러니? 측정기를 두 개나 갖고 있었으니까. 하지만 눈금을 보지도 않았어. 내 잘못이야."

그래도 난 여전히 마음에 걸렸다. 지금도 마음에 걸린다.

그게 어젯밤 일이다. 그는 잠옷으로 갈아입고 끓인 우유가 적당히 식었을 때 따뜻하게 한 컵을 들이켰다. 나는 컵까지 데웠

118

다. 이제부터는 음식을 담는 식기도 매일 끓이거나 데울 생각이었다.

그는 심지어 아스피린을 두 알 먹겠다고 했다. 그리고 잠이 들었다. 나는 램프를 침대에서 멀찌감치 떨어뜨려 놓고 불도 약하게 조절했다. 램프를 켜 두어야 한다는 생각은 들었지만 그가 쓰러뜨릴까 봐 걱정이 되었다. 나는 설거지를 하고 창가에 의자를 갖다 놓고 앉아 아무것도 하지 않고 그저 이 생각, 저 생각을 하며 시간을 보냈다.

그러다가 결국 방으로 돌아가 잠자리에 들었다. 그러나 거의 매시간 일어나 그의 상태를 확인하고 벽난로의 불길을 살폈다. 그는 밤새 곤히 잤다. 파로도 그랬으면 좋으련만. 파로는 자면서 꿈을 꾸고 낑낑거렸다. 녀석은 뭔가 잘못 돌아가고 있다는 걸 알고 있었다.

오늘 아침, 앞서 말한 것처럼 젖을 짜러 헛간에 갔다가 집에 채 돌아오기도 전에 그가 부르는 소리가 들렸다. 깨어나기 직전까지 악몽을 꾼 것 같았지만 꿈 얘긴 하지 않았다. 눈빛이 이상하고 초점이 없어서 처음엔 날 알아보지 못하는 줄 알았다. 그가 날 뚫어져라 쳐다보았다.

내가 그를 침대에 눕히고 이불을 덮어 주자 마침내 그가 몸을 떨기를 멈추고 말했다.

"네가 안 보이더구나."

"젖을 짜러 갔었어요."

"네가 안 보여서 난 네가……."

"네?"

"아니다. 열 때문이야. 자꾸 헛것이 보이네."

그러나 자기가 무얼 보았는지는 끝내 말하지 않았다. 체온을 재어 보았더니 그사이 열이 더 올랐다. 40.5도. 빨간 수은이 체온계 끝까지 올라간 걸 보니 기분이 이상했다. 체온계에는 눈금이 41도까지밖에 없었다.

그가 눈금을 보는 날 쳐다보았다.

"몇 도니?"

"좀 올라갔어요."

"얼마나?"

내가 알려 주었다.

"심각하네."

"생각하지 마세요. 아침 갖다 드릴게요."

"배 안 고파."

"하지만 드셔야죠."

"나도 안다. 노력해 볼게."

그리고 그는 실제로 노력했다. 침대에 앉아 삶은 달걀 한 개를 거의 다 먹었고, 우유를 조금 더 마셨고, 구운 빵도 한 쪽 먹었다. 식사를 마친 다음 그가 말했다.

"내가 먹고 싶은 게 뭔지 아니? 아이스티. 설탕 넣은 거."

농담을 하나 생각했지만 농담이 아니었다. 가엾은 루미스.

"얼음이 없는데."

내가 말했다.

"알아. 발전기를 아직 못 만들었지."

몇 분 뒤 그는 다시 잠들었고 나는 어떻게든 음료를 만들어 보기로 했다. 얼음을 넣은 아이스티를 만들 수는 없어도 시원한 차를 만들 수는 있을 것 같았다. 아마도 그는 달콤한 음료를 마시고 싶은 모양이었다. 열이 나면 사람들은 이상한 음식을 먹고 싶어 하니까. 나는 열이 날 때면 초콜릿 아이스크림이 먹고 싶었다. 찬장에는 티백이 들어 있는 양철통이 있다. 엄마가 마시던 차여서 신선하다곤 말할 수 없지만 향은 괜찮았다. 나는 물을 끓여서 주전자에 담은 뒤 티백을 두 개 넣었다. 차가 어느 정도 우러나자 엄청난 양의 설탕을 부은 다음 주전자를 서늘한 지하실에 두었다. 몇 시간 뒤 좀 시원해지면 그를 깜짝 놀라게 해 줄 수 있을 것이다.

그러나 지금 내겐 한 가지 문제가 있다. 개울에 물을 길으러 가야 하고 조만간 슈퍼마켓에도 다녀와야 한다. 밀가루, 설탕을 포함해서 몇 가지가 떨어졌다. 그러나 그가 혼자 있기를 싫어하니 어떻게 해야 좋을지 모르겠다. 소젖도 짜러 가야 하는데…….

오늘 아침엔 그가 잠든 틈을 타서 다녀왔다. 훤한 대낮에 그가 깨어 있을 때 잠깐 나갔다 온다고 말하면 괜찮겠지. 아무래도 그렇게 해야겠다. 그것 말고는 방법이 없다.

결국 나는 개울에도 갔고 슈퍼마켓에도 다녀왔다. 그런데 일이 꼬였다. 하지만 어쩔 수가 없었다. 그나마 당분간은 나갈 일이 없으니 다행이다. 그러나 내게 엄청난 시련이 닥치고 있음을 직감하고 있다.

지금 나는 거실에서 이 글을 쓰고 있다. 한밤중이라 램프를 밝혔다. 온 세상이 고요하다. 적어도 지금 이 순간만은.

오늘 어떤 일이 있었느냐 하면…… 오늘 오후 4시쯤 내가 그의 방문을 노크하고 들어갔다. 그는 잠들어 있었다. (그는 요즘 거의 하루 종일 잠을 잔다.) 그가 내 기척에 눈을 떴고 그의 모습은 차분해 보였다. 그래서 잠깐 나갔다 오겠다고 말했다. 그는 별로 걱정하지도, 화를 내지도 않았다. 오히려 내가 별걸 다 걱정한다고 말하는 것 같은 표정이었다. (물론 그가 내게 집에만 있으라고 한 적은 없다. 오늘 아침 일 때문에 나가길 두려워했던 건 바로 나 자신이었다. 그런데 정작 그는 그 일을 기억조차 못하는 것 같았다.) 문득 나는 바보가 된 기분이었다. 나 혼자 괜한 걱정을 했나 싶었다. 그래도 나는 이렇게 말했다.

"트랙터에 카트를 연결해서 몰고 갈 거예요. 그럼 더 빨리 가서 많이 싣고 올 수 있을 테니까요."

"연료 낭비야."

그가 말했다.

물론 나도 그런 생각을 안 한 건 아니었다. 그러나 지금은 긴급 상황이었고 그가 회복되기만 하면 자주 있을 일도 아니었다.

그가 나를 안심시켰음에도 나는 헛간으로 달려가 최대한 빨리 카트를 트랙터에 연결했다. 다행히 어렵지 않았다. 15센티미터 정도의 핀을 연결봉에 끼우기만 하면 되었다. 쇠바퀴 두 개가 달린 사각형 모양의 카트에는 1톤 정도의 짐을 실을 수 있었다. 카트를 연결한 뒤 나는 50리터들이 물통 세 개를 실었다. 물을 길어 직접 들고 와야 할 땐 너무 무거워서 쓰지 않던 통이었다. 트랙터가 있으니 무게에 신경을 쓸 필요가 없어졌고 그 정도면 2주 이상 버틸 수 있을 것 같았다. 나는 트랙터의 기어를 최고 속도로 놓고 개울로 향했다. (그렇게 하면 시속 25킬로미터 정도로 달릴 수 있었다.)

나는 개울에서 물통을 채웠다. (내가 들을 수 있는 무게가 물통의 3분의 2 정도여서 그만큼만 채웠다.) 그리고 슈퍼마켓에 가서 통조림, 분말 수프, 설탕, 밀가루, 옥수수 가루, 개 사료, 닭 사료 같은 것들을 실었다. 그리고 집으로 돌아가기 전에 가솔린 펌프로 트랙터의 연료 탱크를 채웠다. 지금까지 밭을 가는 걸 포함해서 가솔린을 10리터 정도 사용했고 그 정도면 그리 나쁘지 않았다. 집으로 향하면서 시계를 보았다. 45분 정도 지나 있었다.

최고 속도로 트랙터를 몰다가 집까지 150미터 정도 남겨 두었을 때 그를 보았다. 현관문이 활짝 열려 있었고 루미스가 비틀거리며 밖으로 나오고 있었다. 그의 얼굴은 보이지 않았지만 빨간색과 흰색 잠옷만 보아도 알 수 있었다. 그는 현관 베란다를 가로지른 뒤 난간에 잠시 멈추어 섰다가 비틀거리며 현관 계단을 내려오더니 앞뜰을 가로질러 텐트와 수레가 있는 곳으로 갔다. 파로가 꼬리를 흔들며 그를 쫓아가다가 경계하듯 뒤로 물러서서 그를 지켜보았다.

나는 때마침 진입로에 들어서고 있었고 얼른 시동을 껐다. 루미스는 앞을 못 보는 사람처럼 더듬거리며 무언가를 찾는 것 같았고 텐트가 아니라 수레 쪽으로 향했다. 그는 수레의 짐칸을 열고 무언가를 찾더니 놀랍게도 총 한 자루를 꺼냈다. 커다란 카빈 총이었다. 내가 트랙터에서 펄쩍 뛰어내려 달려갔지만 그의 곁으로 달려갔을 때 그는 이미 총을 세 발 쏘고 난 뒤였다. 그는 엄마와 아빠 방이 있는 2층에 대고 총을 쏘았고 총알이 박힌 자리에서 흰 페인트 가루와 나뭇조각이 튕겨 나갔다. 총성은 끔찍했다. 22구경보다 훨씬 더 큰 소리였다.

나는 소리를 질렀다. 어쩌면 비명을 질렀는지도 모르겠다. 정확히 기억나지 않는다. 그는 총을 휘두르며 내 쪽으로 돌아섰고 결국 나를 겨눈 꼴이 되었다. 그런데 나는 이상하게도 아주 침착했다.

"아저씨, 아저씬 지금 아파요. 꿈을 꾸고 있는 거예요. 총을 내려놓으세요."

금방이라도 울음을 터뜨릴 듯 그의 얼굴이 흉측하게 일그러졌고 그의 눈동자가 흐릿해졌다. 그는 나를 알아보고 총을 내려놓았다.

"네가 없어졌잖아."

지난번처럼 그가 말했다.

"말씀드렸잖아요. 잠깐 다녀올 데가 있다고요. 기억 안 나세요?"

"잠이 들었어. 눈을 떴을 때 그 소리가……."

무슨 소릴 들었는지는 말하고 싶지 않은 눈치였다.

"무슨 소리요?"

"분명히 무슨 소리를……. 집 안에 누군가 있었어. 그래서 널 불렀어. 놈이 위층에 있었어."

"누가요?"

그는 얼버무렸다.

"놈이 돌아다녔어."

"아저씨, 집 안엔 아무도 없어요. 열 때문에 그런 거예요. 침대에 누우셔야 해요."

열이 40.5도인데 잠옷 바람으로 나와서 돌아다니다니, 딱한 노릇이었다. 나는 그의 손에서 총을 받아 다시 수레에 넣었다.

그는 저항하지 않았고 갑자기 심하게 몸을 떨기 시작했다. 자세히 보니 그의 몸과 그가 입고 있는 잠옷이 온통 땀으로 흥건하게 젖어 있었다. 나는 그를 집으로 데리고 들어가 침대에 눕히고 담요를 덮어 준 뒤 마른 잠옷을 가지러 2층으로 갔다.

엄마와 아빠 방에 들어가 보니 총알이 지나간 자리들이 보였다. 다행히 바닥에 회반죽이 부스러져 있는 것 말고는 심각한 피해는 없었다. 총알은 벽을 파고 들어와 곧바로 천장으로 날아가 박혀서 다른 건 하나도 부서지지 않았다. 구멍을 메우고 바닥을 쓸어내야 했다.

나는 그에게 깨끗한 잠옷을 가져다주고 갈아입으라고 했다. 그 정도는 아직 혼자 할 수 있었다. 만약 그가 혼자 할 수 없다면 내가 도와주어야 할 것이다. 일어나서 2층 화장실에 갈 수가 없게 되면 요강도 가져다주어야 할 것이다.

그가 잠옷으로 갈아입은 뒤에야 그가 꿈에서 아직 완전히 깨어나지 못했음을 알았다. 젖은 잠옷을 세탁실로 가져가려고 그의 방에 들어갔더니 그가 눈을 감은 채 침대에 누워 있었다. 그러나 내 기척에 눈을 뜨고 아주 지친 목소리로 물었다.

"이제 갔니?"

"누가요?"

"에드워드."

"또 꿈을 꾸시나 봐요."

그는 고개를 저은 뒤 말했다.

"맞아. 또 깜빡했군. 에드워드는 죽었지. 여기까지 올 리가 없어."

이번에도 에드워드였다. 그러나 난 걱정이 되었다. 친구였다는 에드워드의 꿈을 꾸었다면 도대체 왜 그를 쏘려 했을까.

아무래도 소파에서 자야 할 것 같았다. 그는 얕은 잠을 잤다. 뒤척이고 웅얼거리고 신음 소리를 내면서.

나는 그에게 시원한 차를 주는 걸 완전히 잊었다. 내일 아침에 줘야지.

# 열하나

## 6월 4일

아침.

오늘은 끔찍한 날이다.

그의 열이 얼마나 올라간 건지 모르겠다. 눈금이 41도까지 올라갔고, 그 위로는 체온계에 나타나지 않기 때문이다. 이런 고열로는 오래 버티지 못할 것이다.

고등학교 때 알코올이 열을 떨어뜨린다고 배운 기억이 있다. 위층 약장에서 반 정도 남아 있는 알코올 한 병을 찾았다. 한 시간에 한 번씩 알코올로 아빠의 손수건을 적셔 그의 등과 가슴, 팔, 목, 이마를 닦아 주었다. 그는 날 밀어내려 했지만(아마 알코올이 얼음처럼 차갑게 느껴졌을 것이다.) 어쨌든 도움이 된 것 같았다.

그는 거의 하루 종일 잠만 자다가 악몽을 꾸며 깨어난다. 깨어나면 잠깐 동안은 침착해 보이기도 하고, 날 알아보고, 내 눈을 쳐다보고, 내 말을 듣기도 한다. 그러나 그 나머지 시간에는 거의 제정신이 아니고 자주 겁에 질리는데 매번 똑같은 소리를 한다. 에드워드가 이곳에 있고, 그가 뭔지 모를 끔찍한 무언가로 그를 위협한다고 생각한다. 적어도 나는 그게 뭔지 모른다.

나는 루미스와 에드워드(그의 성은 모른다.) 사이에 나쁜 일이 있었음을, 두 사람이 친구가 아니고, 적어도 마지막엔 적이었음을 이제 막 깨닫기 시작했다.

그는 가끔 날 에드워드로 착각하지만 대체로 날 보지 못하고 내 뒤쪽에 서 있는 누군가를 보는 것 같다. 그의 눈빛이 너무도 진짜 같아서 나도 자주 뒤돌아보지만 물론 거기엔 아무도 없다. 루미스는 에드워드가 이 계곡에, 이 집에 있다고 생각하기도 하고, 자기가 이타카에 있는 산속 연구실에 그와 함께 있다고 생각하기도 한다. 그는 같은 말을 하고 또 한다.

오늘 아침에 그 일이 시작되었다. 방문을 노크한 다음 조금이라도 요기하길 바라는 마음으로 시원한 차 한 잔과 삶은 달걀을 들고 들어갔다. 그는 깨어 있었지만 내가 아니라 내 뒤쪽 문에 대고 말했다.

"거기 가만히 있어, 에드워드. 물러서. 그래 봐야 소용없어."

"아저씨, 저예요. 아침을 가져왔어요."

그가 눈을 문지르더니 마침내 눈동자가 초점을 찾았다. 그러나 다시 입을 열었을 때 흘러나온 건 웅얼거리는 지친 목소리였다.

"아침은 못 먹겠다. 너무 메슥거려."

"조금이라도 드세요. 시원한 차를 가져왔어요."

내가 유리컵을 내밀자 그가 차를 받아 허겁지겁 단숨에 반을 들이켰다.

"고맙다. 맛있구나."

그는 나머지를 들이켜고 다시 눈을 감았다. 설탕 때문인지 기운이 좀 나는 것 같았다.

"나중에 더 가져올게요. 이제 달걀 좀 드세요."

그러나 그가 다시 눈을 떴을 때, 그는 문 쪽을 보고 있었다. 소리를 지르려 하는 것 같았지만 목소리가 잘 나오지 않았다.

"에드워드?"

"아저씨, 에드워드란 분은 여기 없어요."

"알아. 어디 갔지?"

"그런 생각 하지 마세요."

"네가 몰라서 그래. 놈은 도둑이야. 놈이 그걸 훔치려고……."

그가 말을 멈추었다. 뭔가 생각난 듯이. 그는 끔찍한 신음 소리를 내면서 침대에서 몸을 일으키려 했다.

나는 그의 어깨를 잡았다. 그는 날 밀어내려 잠시 씨름하다가 얕은 숨을 쉬며 가만히 있었다.

"아저씨, 제발 정신 좀 차리세요. 지금 꿈을 꾸고 있는 거예요. 에드워드는 없어요. 훔칠 것도 없고요."

"안전복……."

그가 속삭임보다 조금 큰 목소리로 말했다.

"놈이 안전복을 훔치려고 해……."

안전복. 그가 걱정했던 건, 그리고 지금도 걱정하고 있는 건 바로 안전복이었다. 어쩐 일인지 그는 에드워드가 안전복을 훔치려 한다고 생각했다.

"아저씨, 안전복은 아저씨 수레 짐칸 안에 있잖아요. 잘 개어서 거기 두셨잖아요. 생각 안 나세요?"

"짐칸! 놈이 그걸 가지러 거길 간 거야!"

그 얘기를 한 게 잘못이었다. 그가 다시 일어나려 했기 때문이다. 나는 그를 주저앉혔다. 처음에 일어나려 애쓰면서 힘을 다 뺐기 때문에 그리 힘들지 않았다. 그러나 그가 침대 밖으로 나올까 봐 두려웠다. 넘어져서 다칠까 봐 무서웠다. 그보다 더 중요한 건, 그가 밖으로 나갔을 때 어떻게 다시 안으로 데려와야 할지 자신이 없었다. 그는 걸을 기운도 없었고 나는 그를 안거나 들 수도 없었다. 결국 나도 그와 함께 방 안에 있어야 했다. 적어도 이 악몽이 끝날 때까지.

그의 꿈은 전염성이 있었다. 결국 남은 건 우리 둘뿐이고 나로선 얘기할 사람이 그밖에 없기 때문에 당연히 그의 기분은 나의 기분을 지배했다. 나는 일기를 쓰기 위해 창가에 앉아 밖을 내다보았다. 수레는 여전히 텐트 바로 옆 늘 있던 자리에 있었다. 혹시 그 근처를 서성거리는 사람이 있는지 살펴보았다. 에드워드? 그가 어떻게 생겼는지 나는 모른다. 텐트 주위에는 밟혀서 시든 잔디에 누워 먹이를 기다리는 파로 말곤 아무도 없었다. 조만간 파로를 집 안으로 불러들여 밥을 주어야지.

아니, 그보다 더 좋은 생각이 있다. 이미 한결 나아진 것 같긴 하지만 루미스가 좀 더 진정이 되면 얼른 나가서 파로에게 먹이를 주고 안전복을 들고 들어와야지. 그래서 잘 보이는 곳에 놓아두어야지. 그의 악몽을 가라앉히기 위해 그 정도는 할 수 있다. 그러면 그의 걱정을 덜 수 있을 것이다.


오. 후


나는 안전복을 들고 집으로 들어왔고 그 순간 이전의 악몽은 끝났지만 새로운, 더 끔찍한 악몽이 시작되었다. 루미스는 다시 이타카로 돌아가 에드워드와 처절한 싸움을 했다. 꿈이라 다행이었다. 왜냐하면 그 꿈속에서 두 사람은 서로를 죽일 듯 싸웠기 때문이다. 지난번처럼 루미스가 대화를 주도했고, 나는 반만 들을 수 있었지만 루미스는 분명히 상대방의 말을 듣고 있었다. 그의 목소리는 가냘팠고, 웅얼거렸고, 그럼에도 차가웠고, 증오로 가득 차 있었으며, 위험했다. 밀폐된 공간에 갇혀 있다 보니 두 사람 사이의 긴장감이 더욱 증폭된 것 같았다.

그가 잠꼬대를 시작했을 때 나는 창가에 앉아 있었고 처음 몇 마디는 잘 듣지 못했다. 그러나 뒷부분은 똑똑히 알아들었다.

"…… 24시간은 안 돼, 에드워드. 24분도 안 돼. 가족을 찾고 싶으면 마음대로 해. 하지만 안전복은 여기 둬야 해. 난 문을 잠글 거야. 다시 돌아올 생각일랑 마."

침묵. 루미스는 에드워드의 말을 듣고 있었다.

가엾은 에드워드. 그들이 처한 상황을 파악하기란 그리 어렵지 않았다. 에드워드와 루미스는 지하 연구실에 갇혀 있었고 그곳엔 그들 둘뿐이었다. 아마도 그곳에 머물며 늦도록 일했을 것이고 워싱턴에서 사람이 오기 전에 막바지 작업을 하고 있었을 것이다. 그런데 때마침 핵이 폭발했다. 라디오나 어쩌면 텔레비전을 통해 외부 상황을 알았을 것이다. 전화도 있었겠지만 한 시간 내로 쓸모가 없어졌을 것이다.

에드워드는 결혼한 사람이었다. 그에겐 마리라는 아내와 빌리라는 아들이 있었고, 가족 걱정에 제정신이 아니었다. 나는 이해한다. 그가 어떤 심정이었을지. 처음엔 그도 밖으로 나가기가 두려웠을 것이다. 그 지역에선 실제로 핵이 폭발했다. 방사능 낙진만 떨어진 게 아니었다. 며칠 후 상황이 종료되자 에드워드는 밖으로 나가 가족을 찾고 싶었고 그때부터 싸움이 시작되었다.

그들은 연구실 밖 공기가 방사능에 오염되었다는 걸 알았고, 그 방사능으로부터 그들을 지켜 줄 전 세계 단 한 벌의 안전복이 연구실에 있었다. 안전복은 한 벌이고 사람은 둘이었다. 그게 그들의 비극이었다. 루미스가 꿈속에서 에드워드에게 그의 아내와 아들은 이미 죽었다고 되풀이해서 말한 것도 바로 그런 이유였다. 그러나 에드워드는 방공호 같은 곳에 아직 살아남은 사람들이 있을지도 모른다는 실낱같은 희망을 품었을 것이다.

그래서 그는 단 24시간 동안만이라도 안전복을 입고 나가 보려 했다. 가족이 살았는지 죽었는지 직접 확인하고 싶었을 것이다. 깨끗이 단념할 수 있도록. 어쩌면 마지막으로 한 번 보고 싶었을지도 모른다. 그들을 묻어 주고 싶었는지도 모른다. 나도 확실히는 모르겠다.

루미스는 미혼이었다. 그가 말한 적은 없지만 내 생각엔 미혼인 것 같다. 루미스는 에드워드가 안전복을 입고 나가는 걸 용납할 수 없었다. 가족은 이미 다 죽었을 게 뻔한데 가 봐야 무슨 소용인가. 꿈을 꾸면서 그는 말했다.

"자네가 그걸 갖고 다시 돌아올지 내가 어떻게 알아? 그러다 일이 잘못되기라도 하면?"

그리고 잠시 후 이렇게 말했다.

"다 죽었어. 자네도 라디오 들었잖아. 이타카엔 이제 아무것도 없다고. 설령 가족이 살아 있다고 해도 어쩌겠단 거지?"

침묵.

"그럼 그들을 남겨 두고 다시 나한테 돌아와서 안전복을 돌려주겠다고? 거짓말하지 마, 에드워드……"

그리고 또 말했다.

"이 안전복이 어떤 물건인지를 생각해 봐, 에드워드. 생각해 보라고. 어쩌면 이 안전복이 지구상에 남아 있는 마지막 쓸모 있는 물건인지도 몰라. 죽은 아내를 만나러 가는 데 낭비되어선 안 된다고……"

가엾은 에드워드. 그는 계속 애원하고 있었다. 나는 루미스가 에드워드를 말리는 이유를 이해하면서도 한편으로는 그가 안전복을 내어 주길 바랐다. 에드워드는 왜 몰래 안전복을 입고 달아나 버리지 않은 걸까. 이를테면, 루미스가 잠들었을 때 입고 나가 버리면 그만일 텐데.

그러다 어느 순간 나는 깨달았다. 에드워드가 실제로 그렇게 했다는 걸. 그때부터 루미스의 악몽은 최악의 순간으로 치달았다. 있는 대로 허약해진 상태에서 그는 분노와 공포 속에서 비명을 질러 댔다. 그의 비명은 흉측하고 가냘픈 흐느낌으로 새어 나왔다. 그는 침대에서 몸을 일으키고 똑바로 앉으려고, 팔을 들어 올리려고 애썼다. 그러나 그럴 기력이 없었고 굳이 내가 나설 필요도 없었다. 그는 몸을 움직일 수가 없었다.

에드워드가 왜 애원했는지 알 것 같았다. 루미스가 총을 들고 있었기 때문이다. 적어도 꿈속에서는. 나는 그가 하는 말을 거의 대부분 알아들을 수 있었다. 그는 차마 여기 옮길 수도 없는 온갖 끔찍한 말들을 퍼부어 댔다. 그리고 이렇게 말했다.

"자넨 도둑이고 거짓말쟁이야! 다 부질없는 짓이야! 어서 문에서 물러서지 못해!"

침묵.

"난 분명히 경고했어. 자넬 쏠 거야. 자네가 입고 있는 안전복이 방사능은 막아 줄지 모르지만 총탄은 못 막아."

나는 그 말을 기억했다. 텐트에 누워 있는 그를 처음 찾아갔을 때 그가 내 총을 보고 했던 말이었다. 그는 에드워드를 쏘겠다고 협박하고 있었다. 연구실에서 그랬던 것처럼. 밖으로 나가는 문을 지키고 있었던 그때처럼.

몇 분 뒤 악몽이 끝났다. 그는 끔찍한 신음 소리를 냈다. 전보다 더 참혹한 소리였고 그 뒤로 목이 졸리는 듯한 소리가 났다. 그는 울음을 터뜨리려 애쓰는 것 같았다. 그러고 나서 마치 먼 길을 달려온 작은 짐승처럼 빠르고 얕은 숨소리 말고는 일체의 소리도 내지 않고 눈을 감은 채 꼿꼿이 누워 있었다. 그의 맥박을 재어 보려 했지만 너무도 약한 떨림일 뿐이라 맥박을 셀 수조차 없었다.

그는 정말 에드워드를 쏘았을까. 쏘았다면 얼마나 큰 상처를 입혔을까. 그 순간 머릿속에 한 가지 생각이 떠올랐고 내키진 않았지만 확인해 볼 수밖에 없다는 생각이 들었다. 나는 침대 맡의자 위에 개어 놓았던 안전복을 창가 쪽으로 가져가 햇빛에 비추어 보았다.

나의 두려움은 사실로 확인되었다. 5센티미터 정도 간격으로 가슴 쪽에 구멍이 세 개 나 있었다. 비닐을 대어 구멍을 막고 꿰매었기 때문에 공기가 들어가진 않지만 바깥쪽에서 보면 꽤 크고 동그란 총탄 구멍이었다. 세 발의 총탄이 날아온 순간 에드워드가 이 옷을 입고 있었다면 그는 분명히 죽었을 것이다.

## 밤

거의 10시. 나는 램프를 켜 놓고 내 방 창가에 앉아 있다. 악몽은 끝난 것 같고 그는 편안해 보이지만 오늘 밤을 넘길 수 있을지 모르겠다. 그의 손과 발은 얼음장처럼 차갑고 그의 숨결은 거의 느껴지지 않을 정도로 희미하다. 굳이 다시 열을 재어 보지 않았다. 그래 봐야 귀찮기만 할 것 같고 도움도 되지 않는다. 이제 내가 그를 위해 할 수 있는 일은 아무것도 없다.

오늘 오후에야 나는 그 사실을 깨달았다. 허탈하고 절망적이다. 내가 그의 곁을 지키는 것조차 이제 아무 의미가 없다. 더 이상 그는 침대 밖으로 나올 수도 없고 넘어질 일도 없다. 그의 손은 너무도 차다. 그의 상태가 더 악화되었음을 확인하고 나는 담요를 더 덮어 주고 뜨거운 물병을 하나 더 넣어 준 다음 그의 머리를 팔로 받치고 차를 입안에 흘려 넣어 주었다. 몇 모금이라도 넘어갔는지 모르겠다. 그는 눈을 뜨지 않는다. 낯빛은 푸르스름하고 투명했고, 눈꺼풀은 거의 자줏빛이었다.

나는 그에게 도움될 만한 일을 한 가지 떠올렸다. 그의 방을 마지막으로 한 번 살펴보고 문을 닫은 다음 성경을 들고 교회로 갔다. 독실한 신자인 척하고 싶진 않지만 달리 무얼 해야 좋을지 몰랐기 때문에 기도를 해야겠단 생각이 들었다. 어쩌면 나에게 도움이 될 거라 생각한 건지도 모르겠다. 어느 쪽인지 나도 잘 모르겠다. 하지만 한 가지만은 알았다. 그에게 도움이 필요하단 걸. 그리고 나에게도.

해가 지고 있었고 황혼은 여전히 아름다웠지만 그 아름다움을 즐길 수 없었다. 너무도 우울했다. 파로가 날 따라왔고 그나마 파로가 있는 게 다행이다 싶었다. 교회에 이르자 파로도 들어오고 싶어 해서 안으로 들여 주었지만 바닥에 가만히 누워 있게 했다.

교회 내부는 빛깔이 바래긴 했지만 흰 페인트칠을 해 놓았고, 저녁 햇살에 흐린 잿빛으로 보였다. 작고 네모난 방 한 칸에 신도석이 일곱 개 있었지만 그중 두 개만 등받이가 있었고 나머지는 벤치 형식이었다. 제단 뒤쪽으로 폭이 좁은 창문이 두 개 나 있었고, 양쪽 벽에 역시 폭이 좁은 창문이 두 개 있을 뿐이어서 교회 안은 항상 어둠침침하고 조용했다. (연단은 없었지만 높은 독서대가 있었다.)

나는 가장 볕이 잘 드는 맨 앞줄에 앉아 반 시간 동안 성경을 읽고 루미스를 위해 기도했다. 그가 오늘 밤을 넘기게 해 달라고. 비록 살인자일지언정 나는 그가 죽는 걸 원치 않는다.

# 열둘

## 6월 5일

아침.

그가 밤을 넘겼다.

한번은 그가 죽은 줄 알았다. 내가 거실 소파에서 잠이 들었
는데 그가 밤새 전혀 소리를 내지 않았다. 나는 깊이 잠들지 못
하고 수시로 깨어나 그의 상태를 확인했다. 새벽 2시쯤 그의 숨
소리에 귀 기울여 보았는데 소리가 들리지 않았다. 너무 무서워
서 내 심장마저 멎는 것 같았다. 기도를 하고 좀 더 가까이 다가
가 보았다. 30센티미터 정도 떨어진 거리까지 다가가서야 너무
도 가냘프고 빠른 그의 숨소리를 확인할 수 있었다. 그 뒤로도

매번 그런 식이었고, 숨소리는 멎지 않았다. 나는 계속 벽난로 불을 지폈고 수시로 뜨거운 물병을 바꾸어 가며 그의 발치에 놓았다. 발이 얼마나 찬지 혈액순환이 전혀 되지 않는 것 같았다.

드디어 아침이 밝았고 나는 아침 식사와 커피를 준비했다. 식욕은 전혀 없었지만 그래도 먹어야 했다. 나가서 소젖도 짰다. 송아지도 이제 풀을 뜯기 시작했기 때문에 방심하면 어미 소의 젖이 마를까 봐 걱정되었다. 다시 돌아와 보니 방 안이 환했다. 그의 안색을 살펴보았다. 얼마나 창백한지 섬뜩할 정도였다. 열을 재어 보진 않았지만 호흡의 횟수는 측정할 수 있었다. 분당 50회 정도였다. 학교에선 16회 정도가 적절한 횟수라고 배웠다. 그의 입술은 부은 것 같았고, 잿빛이었고, 갈라졌고, 종잇장처럼 메말라 있었다. 나는 깨끗한 헝겊을 물에 적셔 그의 입술을 축여 주었고, 수건을 꼭 짜서 물이 입안으로 흘러 들어가게 했다. 유리컵에 물을 따라 주는 건 엄두도 못 냈다. 질식할까 봐 겁이 났다. 그의 얼굴도 닦아 주었다. 얼굴이 차갑고 끈적끈적했다.

파로에게 먹을 걸 주고 나서 교회로 걸어갔다. 이번엔 거의 나 자신을 위해서란 걸 나도 알았다. 너무도 걱정이 되어서 아무 생각도 할 수 없었다. 어지럽고 메스꺼웠다. 잠을 거의 못 자서 그런 것 같았다. 곁에 앉아 지켜본다고 그가 나아지는 것도 아니었다. 죽을 사람이면 죽을 것이고 살 사람이면 살 것이다. 내가 있건 없건 달라질 건 없었다.

그의 생사도 걱정되었지만 연구실에서 일어난 사건, 정확히 말하면 연구실에서 일어났다고 전해 들은 사건도 걱정되었다. 실제로 생생하게 전해 들은 것 같은 기분이 들었다. 녹음된 내용을 재생해서 들은 것처럼. 그래서 더더욱 찬찬히 생각해 봐야 했다.

파로가 아침 식사를 눈 깜빡할 새 먹어 치우고 날 따라잡았다. 우리는 함께 교회로 들어갔다. 성경을 깜빡 잊고 가져오지 않았다는 사실을 깨닫고 도로 가서 가져올까 생각하는데, 파로가 무언가를 본 듯 제단 쪽으로 살금살금 다가갔다. 내 눈엔 아무것도 보이지 않아서 왠지 섬뜩한 기분이 들었다. 정적 속에서 잠시나마 나는 파로가 유령이나 천사를 본 건 아닐까 생각했다.

나는 파로에게 가만히 있으라고 손짓한 뒤 두려움에 떨며 제단 쪽으로 다가갔다. 그리고 마침내 나도 보았다. 조그맣게 웅크린 검은 물체. 아기 새였다. 크기는 제비만 했고 날개와 꼬리에 이제 막 복슬복슬한 털이 돋기 시작했다. 내가 가까이 다가가자 몸을 바르르 떨며 달아나려 했지만 날 수가 없었다. 어디서 왔을까. 어쩌다 교회로 들어왔을까. 고개를 들고 천장을 올려다보니 교회 첨탑을 이루는 둥근 지붕 밑에 사각형 모양의 공간이 보였다. 지붕 꼭대기에는 비록 한 번도 종이 달렸던 적은 없지만, 두께 5센티미터 폭 10센티미터짜리 목재로 지은(그렇다고 전해 들었다.) 십자 모양의 종 틀이 있었다. (언젠가 내가 나뭇조각 몇 개가 떨어져 나간 걸 알아차렸던) 둥근 지붕 바로 안쪽에 나뭇가지와 나뭇잎과 지푸라기를 엉성하게 엮어 만든 둥지가 있었다. 까마귀 한 쌍이 그곳에 둥지를 틀었고 보아하니 거기서 새끼 한 마리가 떨어진 것 같았다.

나는 아기 새를 쳐다보았고 아기 새도 생기 넘치는 작고 검은 두 눈으로 나를 쳐다보았다. 내가 한 발짝 더 다가서자 아기 새가 뒤로 물러나다가 제단 벽에 부딪혔다. 그래서 나도 다가가지 않고 그 자리에 가만히 서 있었다.

전에도 우연히 아기 새를 발견한 적이 있었다. 우리 가족 모두 한 번씩은 그런 경험이 있었고 그럴 때마다 아빠는 아기 새를 건드리지 말고 그대로 두라고 했다. 부모 새들이 근처에서 지켜보고 있기 때문에 우리가 사라지면 아기 새를 데려갈 거라고. 아빠 말은 옳았다. 새들이 아기 새를 데려가는 걸 실제로 본 적도 있었다. 그러나 까마귀들이 아기 새를 구하러 교회 안으로 들어올 것 같진 않았다. 어쩌면 아기 새가 떨어진 줄도 모를 것이다.

그래서 나는 양손으로 조심스럽게 새를 안아 들었다. 아기 새는 저항하지 않고 순하게 내 손 위에 앉아 있었다. 아기 새를 집으로 데려가 먹이를 주고 키워 볼까 하는 생각도 들었지만 돌보아야 할 애완동물이 한 마리 더 늘지 않아도 이미 내겐 생각할 일들이 많았다. 더구나 아기 새를 들고 밖으로 나오는 순간 요란하고 거친 새 울음소리가 들려서 고개를 들어 보니 커다란 까마귀 두 마리가 머리 위를 맴돌고 있었다. 그중 한 마리가 교회 탑 끝에 앉았기 때문에 부모 새인 걸 알 수 있었다. 내 손안에 든 아기 새를 본 게 분명했다. 나는 아기 새를 풀밭에서 눈에 잘 뜨이는 자리에 조심스럽게 내려놓고 (이 모든 광경을 흥미롭게 지켜보는 파로를 부르면서) 도로로 물러섰다. 까마귀들이 벌써 아기 새 쪽으로 날아오고 있었다. 교회 종탑에 까마귀가 산단 얘긴 들어 본 적이 없지만 다른 새들이 없으니 습성을 바꾼 모양이었다.

집으로 향하며 어쩌면 이게 좋은 징조일지도 모른다고 생각했다. 나는 미신을 믿는 편이다. 새들이 행운을 가져다준다고 믿는다. 아침에 일어나 창밖을 내다보았는데 처음 눈에 들어온 게 한 마리 새라면, 그것도 아주 가까이에 앉아 날 쳐다보고 있는 새라면 왠지 좋은 징조 같아서 그날은 꼭 좋은 일이 생길 것만 같다. 아마도 네 살 무렵 들었던 얘기 때문에 그런 생각을 하게 된 것 같다. 기도가 하늘로 날아간단 얘기. 나는 기도가 마치 새처럼 날개를 달고 하늘로 날아간다고 생각했다.

물론 이 새는 하늘에서 땅으로 내려왔다. (사실 떨어졌다!) 기도라면 방향이 틀린 셈이다. 그래도 집으로 돌아가는 길 내내 나의 발걸음은 한결 가벼웠다. 기도하는 걸 까맣게 잊긴 했지만.

## 저녁

그의 상태는 여전하다. 무엇이 그를 살아 있게 하는지 잘 모르겠다. 감히 그를 다른 자리로 옮겨 볼 엄두조차 나지 않는다. 조금만 불편하게 해도, 어쩌면 큰 소리만 내도 그가 부서질 것만 같다. 침대 시트가 더러워졌는데도 갈지 않았다.

교회에서 돌아와 아주 나지막이 내가 돌아왔다고 말했다. 그는 눈을 뜨지도, 눈꺼풀을 떨지도 않았다. 비록 의식은 없지만 내 말을 들었을 거라 생각했고 누군가 곁에 있단 걸 아는 게 좋을 거라 생각했다.

분명히 그가 들을 수 있을 것만 같아서 책을 읽어 주어야겠다고 생각했다. 그가 느낄 수 있을 정도로 침대 맡에 가까이 앉았다. 처음엔 성경을 읽을까 생각했지만 그보단 시가 더 위로가 될 것 같았다. 나는 시집 한 권을 들고 와서 그레이의 「묘반의 애가」를 읽었다. 슬픈 시인데도 나는 그 시가 좋았다. 죽음에 관한 시였지만 그가 그렇게 구체적으로 이해할 것 같진 않았고 그저 내 목소릴 들어 주길 바랐다.

이번에도 누굴 위해 시를 읽는지가 분명치 않았다. 시를 읽다 보니 걱정이 잦아들었고 덜 혼란스러웠다. 좀 있다가 피아노도 쳐야겠다고, 페달을 밟아 조용한 음악을 연주해야겠다고 생각했다. 바로 옆방에 있는 데다 지난번에 연주했을 때 그가 좋아했으니까.

「묘반의 애가」를 다 읽고 난 뒤 의자에 앉아 에드워드와 루미스를 생각했다.

나는 루미스가 에드워드를 쏘아 죽였단 사실을 받아들여야만 했다. 생각만 해도 끔찍한 일이었다. 어쩌면 그는 내가 평생만날 유일한 사람이기 때문이다.

물론 그가 정말 그랬는지는 알 수 없다. 그러나 악몽을 꾸면서 그가 했던 말들과 안전복에 뚫린 구멍들을 보면 그가 그랬을거란 사실을 믿지 않을 수가 없다. 어떻게 보면 그건 일종의 자기방어였다. 만약 에드워드가 안전복을 입고 나갔다가 다시는돌아오지 않았다면 루미스는 실험실에 영원히 갇혔을 것이다. 결국 음식과 물, 공기가 고갈되어 죽었을 것이다. 따라서 에드워드가 안전복을 훔치려 했던 건 결국 루미스를 죽이려 한 것이나다름없었다.

더구나 루미스는 단순히 살아남는 것 이상의 무언가를 생각하고 있었을 수도 있다. 그렇게 낭비하기에 안전복은 너무도 중요하다고 그는 꿈속에서 말했다. 안전복이 "지구상에 남아 있는마지막 쓸모 있는 물건"이라고 말했다. 그는 자기 자신이 아닌인류의 생존을 생각하고 있었는지도 모른다. 그는 공군기지 같은 지하 방공호에는 생존자들이 있을 거라 생각했다. 안전복은한 벌뿐이었고 그것이 외부 생존자와 접촉할 수 있는 유일한 수

단이었다. 안전복이 그렇게 낭비하기에 너무 중요한 물건인 건 사실이었다. 루미스가 그런 생각을 하는데 에드워드가 이기적이고 어리석게 행동한 거라면 에드워드가 잘못한 것이다.

어떻게 보면 결국 에드워드가 어떤 사람인지 그게 문제다. 그가 정직하고 사리분별이 있는 사람이라서 안전복을 되돌려줄 생각이었다면 루미스는 그를 보내 주는 게 옳았다. 그러나 루미스가 말했던 것처럼 상황이 잘못된다면 그땐 어쩔 것인가. 에드워드가 무모하게 안전복을 입고 달아날 생각이었다면 루미스를 비난할 수 없다.

반면 루미스가 안전복을 혼자 독차지하려 했다면? 기회를 엿보다가 때가 되면 안전복을 입고 혼자 빠져나가 어딘가 있을 생존자를 찾아 나설 생각이었다면? 결과적으로 그는 그렇게 했다.

따라서 어떻게 보면 그것 역시 루미스가 어떤 사람이었는지, 혹은 어떤 사람인지에 달려 있는 문제다. 그리고 그가 어떤 사람인지 나는 아직 잘 모른다.

나는 계속 생각해 본다. 만약 그가 죽지 않고 의식을 회복한다면 그에게 물어보아야 할까? 연구실, 시카고에 갔던 일, 안전복 이야기를 할 때 한 번도 에드워드를 언급하지 않은 걸 보면 루미스는 그 얘기를 하고 싶지 않은 게 분명하다. 그러나 그와 나 단둘뿐인 상황에서 이런 비밀을 알고 모르는 척하기도 쉽지 않다.

어떻게 할 것인지 결단을 내려야 한다.


## 6월 6일

오늘 아침 나는 다시 교회에 갔다. 이제 나는 희망을 버렸다.
그는 꼼짝 않고 누워 있었고 희미한 숨소리 외엔 서른두 시간째
생명의 징후가 전혀 없다. 다시 혼자가 될 거란 생각이 들기 시
작했다. 그는 이제 한 인간으로 볼 수가 없다. 그가 다시 말하고
생각할 수 있을 거란 희망이 서서히 사라져 간다. 그러나 포기하
고 싶지 않았다. 내가 포기하면 그도 포기할 것 같았다. 그게 내
가 교회로 간 이유였다.

날이 흐렸고, 바람에 상쾌한 비 내음이 배어 있었다. 밤사이
비가 내렸고, 다시 비가 내릴 것 같았다. 교회 앞에 이르렀을 때
파로는 내가 새를 놓아두었던 자리로 가서 코를 킁킁거렸지만
아기 새는 사라지고 없었다. 까마귀들이 데려간 게 분명하다.

이번만큼은 잊지 않고 성경을 챙겨 왔고 기도도 했다.

집으로 돌아오는 길에 꽃을 몇 송이 꺾었다. 길가에 핀 야생
장미 몇 송이를 꺾어서 꽃병에 꽂아 그의 방에 갖다 놓았다. 사
과 꽃은 이미 시들었고 꽃잎이 떨어졌다. 물론 그는 그 꽃을 볼
수 없다. 이번에도 날 위한 것이었다.

나는 그의 침대 맡에 앉아 가능한 놓치지 않고 그의 호흡을 세어 보았다. 세 번이나 세어 보았다. 내가 센 바에 의하면 그의 호흡은 50회에서 30회 정도로 회복되었다. 숨소리도 조금은 깊어진 것 같았다.

좋은 징조인지 아닌지 모르겠지만 아마 좋은 징조인 것 같다.

나는 반 시간 정도 피아노를 연주했고 그가 어디에 있건 그 소리가 그에게 닿기를 바랐다.

# 열셋

## 6월 7일

그는 한결' 나아졌다.

여전히 깨어나진 못했지만 호흡이 분당 18회 정도로 줄어들었다. 거의 정상에 가까운 수치였다. 안색도 푸른빛에서 흰빛으로 회복되었다. 보기에도 한결 좋아졌다. 체온을 재어 보진 않았지만 그의 이마와 내 이마를 번갈아 만져 보니 미열이 있긴 해도 전처럼 높진 않았다.

그의 몸이 좀 나아졌을 때 (어쩌면 일시적인 회복일 수도 있다는 생각에) 얼른 시트와 담요, 베갯잇, 잠옷을 바꾸었다. 더러운 시트를 빼고 새 시트를 씌우기 위해 그를 침대 한쪽으로 밀었다. (보건 시간에 유일하게 배운 간호법이었다.) 아주 조심스럽게 했기 때문에 다행히 무리가 되진 않았는지 호흡에는 변화가 없었다.

전반적으로 나는 서툴렀다. 엄청난 빨랫감이 생겼고, 비로소 내가 간호사로서 형편없다는 사실을 깨달았다. 한때는 간호사가 되고 싶었던 적도 있었다. 얼핏 생각하기엔 괜찮은 직업 같았다. 도움이 필요한 사람을 도와주는 일이었고 훈련을 받으면 돈을 벌 수도 있으니까. 그러나 나중엔 교사가 되어야겠다고 생각을 바꾸었다. 비록 간호사만큼은 아니지만 교사 역시 사람들을 돕는 일을 한다고 생각했다.

아직도 나는 내가 결코 무언가가 될 수 없으리란 사실, 직업을 가질 수도, 어딘가를 가 볼 수도, 지금 하고 있는 일 외에 다른 일을 할 수도 없으리란 사실을 받아들이기 힘들다. 내가 교사가 되고 싶다고 생각했던 건 영문학을 가르치고 싶어서였다. 나는 책 읽는 게 세상에서 가장 좋다. 내 꿈은 학생들을 가르치면서 계속 공부해서 대학원도 가고 글도 쓰는 것이었다.

그러나 다 끝이다. 이젠 학교도 없고 가르칠 사람도 없다. 그 사실을 알면서도 나는 자꾸만 생각한다. 이 집에 살면서 돈을 모으고 첫해에 모은 월급을 전부 책 사는 데 쓰는 것도 내 꿈의 일부였다. 내겐 책이 몇 권 없었고 이미 책이란 책은 전부 다 스무 번 넘게 읽었다.

151

그런 생각을 하다 보니 문득 궁금해졌다. 내가 사고 싶었던 모든 책들이, 상황이 달랐다면 분명히 샀을 책들이 오그덴타운 공공도서관에 있다. 오그덴타운에는 조그만 서점이 딸려 있는 선물가게도 있다. 앞으로 아무도 읽지 않을 책들이 가득한 저택들도 있다. 그 책들을 가져올 순 없을까?

물론 나는 안전복을 생각하고 있다. 여기까지 온 걸 보면 루미스는 오그덴타운까지 가서 책을 가져올 수도 있을 것이다.

그러나 그 책들을 골짜기로 가져오는 게 안전할까? 아니면 그 책들을 언덕 위에 펼쳐 놓고 비를 맞지 않도록 조처한 다음 방사능이 사라질 때까지 기다려야 할까? 책도 (시냇물처럼) 가이거 측정기로 일주일에 한 번씩 방사능 수치를 측정할 수 있을 것이다. 그런 쪽으론 내가 잘 모르지만 아마도 루미스는 알 것이다. 어쩌면 그는 별로 관심이 없을지도 모른다. 책을 좋아하는 사람 같진 않다.

그런 생각을 하니 너무나 설렌다. 그러나 어떻게 될지 잘 모르겠다. 만약 그게 가능한 일이라면, 그런데 루미스가 가지 않겠다고 하면 내가 가야지. 그가 안전복을 빌려 준다면.

그러나 그 생각을 하는 순간 에드워드가 떠올랐고 나는 흠칫 놀랐다.

## 6월 8일

오늘 아침 그가 눈을 떴다. 그러나 눈동자가 텅 비었고 초점이 없었다. 마치 갓 태어난 짐승의 눈빛 같았다. 딱히 무언가를 보고 있는 것 같지 않았다.

무언가 말을 하려는 것 같았고 소리를 내려 애쓰는 것 같았지만 그의 입에서 새어 나오는 건 신음 소리뿐이었다. 나는 물을 찾는 거라 생각하고 숟가락으로 물을 떠먹여 주었다. 그는 달게 받아 마셨다. 나는 반 잔 정도를 떠먹여 주고 멈추었다. 한꺼번에 너무 많이, 너무 빨리 마시면 토할 것 같았다. 다행히 그는 꽤 물을 잘 넘겼다. 일부가 입가로 새어 턱으로 흘러내리긴 했지만.

의식이 분명하진 않지만 분명히 차도가 있었고 나는 기분이 좋아졌다. 잠시 후 그의 체온을 재어 보았다. 침대 맡에 앉아 체온계와 (어느새 턱수염이 자란) 그의 턱을 둘 다 잡아야 했지만 어쨌든 체온을 잴 수 있었다. 39도. 열이 많이 내렸다.

그는 뼈만 남았다. 물을 넘길 수 있으니 좀 있으면 이제 음식도 넘길 수 있을 것 같았다. 내가 만들 수 있는 가장 영양가 있는 음식이 무엇인지 생각해 보았다. 당연히 수프였다. 그러나 그보다 더 좋은 건 끓인 커스터드(우유나 달걀노른자에 설탕, 향미료 따위를 섞어 굽거나 쪄서 크림처럼 만든 디저트/ 옮긴이)였다. 그래서 나는 우유, 달걀노른자, 설탕, 소금으로 커스터드를 조금 만들었다. 우유가 끓기를 기다리자니 스토브가 없는 게 너무도 아쉬웠다.

그리고 문득 그런 생각이 들었다. 못할 것도 없다고. 이제 내겐 트랙터가 있었다.

스토브를 해체한 뒤에 조그만 (거의 망가져 가는 낡은) 손수레로 옮길 생각이었다. 트랙터를 몰 수 있게 된 뒤로 스토브 생각은 미처 하지 못했다. 그러나 이젠 트랙터가 있었고 스토브 부품 전체를 한 번에 옮길 수가 있었다. 부엌에서 다시 조립하는 데 시간이 오래 걸리진 않을 것 같았다. 스토브를 어디에 둘지도 이미 생각해 두었다.

그래서 커스터드가 식기를 기다리는 동안, 헛간으로 달려가 트랙터를 후진시켜서 트랙터에 달린 카트를 짐 싣는 곳 앞으로 옮겨 놓고 카트 뒷문을 내렸다. 카트와 짐 싣는 곳의 높이가 거의 똑같았다. 우연은 아니었다. 아빠가 바로 그런 용도로 흙을 다져 짐 싣는 곳을 만들어 놓았기 때문이다.

나는 이미 가장 무거운 부품인 화실을 시트 위에 올려놓았기 때문에 몇 번 끌어서 카트에 쉽게 옮겨 실었다. 다른 부품들은 손으로 날랐다.

뒤 베란다에서 스토브를 내리는 작업도 전혀 어렵지 않았다. 베란다는 카트보다 15센티미터 정도 낮았기 때문에 나는 카트 뒷문을 내려 그것을 일종의 미끄럼틀로 이용했다. 화실을 올린

154

시트를 끌어 문턱을 넘길 때 조금 문제가 생기긴 했지만 엄마가 하던 방식을 기억해서 비눗물을 문턱에 묻혔더니 쉽게 넘어갔다.

스토브를 다시 조립하는 게 생각처럼 쉽지 않았다. 나사 몇 개가 구멍에 들어가지 않았고 쇠살대를 거꾸로 끼우는 바람에 다시 빼내야 했다. 오후 내내 그 작업에 매달리면서 이따금 루미스의 상태를 확인했다. (매번 한참 손을 씻어야 했다.)

커스터드가 충분히 식었을 때 숟가락으로 그에게 떠먹였다. 한 번에 한 숟가락씩 먹였다. 이번에도 그는 깨어나지도, 눈을 뜨지도 않았다. 그러나 힘겹게 음식을 넘겼다. 음식을 넘기는 게 생각을 필요로 하지 않는 일종의 본능인 게 다행이란 생각이 들었다. 처음엔 50그램 정도만 먹였다. 그가 소화시킬 수 있는지 확인해야 했다.

마침내 스토브 조립이 끝났다. 스토브 연통 두 개와 연결 연통 하나가 필요하고 이제 그것들을 슈퍼마켓에서 가져다가 부엌 굴뚝에 연결하기만 하면 된다. 그다음엔 스토브를 닦을 것이다. 니켈로 가장자리를 두른 검은색 스토브라 닦으면 근사해 보일 것이다. 스토브와 나 자신이 대견하다. 마치 크리스마스 선물을 받은 기분이다.

# 열넷

## 6월 15일

일주일이 지나갔다. 내 생애 최고의 한 주였다.

오늘은 내 생일이다. 이제 내 나이 열여섯이다. 저녁 식사로 우리는 구운 닭과 케이크를 먹었다. 둘 다 스토브로 만들었다. 내가 처음 만든 케이크란 말은 하지 않겠다. 전에도 만든 적이 있으니까. 그러나 늘 엄마가 옆에서 감독했다. 그러니까 혼자 만든 첫 케이크인 셈이고 이 스토브로 만든 첫 케이크이자 완벽한 케이크였다. 화이트 크림을 덮었는데, 크림도 완벽했다.

내 생일도 축하했지만 루미스의 회복도 축하했다. 완전히 회복되진 않았지만 어쨌든 놀라운 일이었다. 그는 여전히 걷지 못

했고 다리에 힘이 없었다. 내 짐작대로 혈액순환이 제대로 되지 않았다. 결국엔 좋아지겠지만 회복이 더디다.

그래서 그의 침대 옆에 접이식 카드 테이블을 놓고 생일상을 차렸다. 흰 테이블보를 씌우고, 고급 도자기 그릇들을 꺼내 놓고, 은 식기는 광을 냈고, 초를 켜는 것도 잊지 않았다. (생일 초는 아니었다. 슈퍼마켓에 없었다.)

생일 식탁을 차리면서 가장 기뻤던 일은 준비하는 내내 잠들어 있던 루미스가 때맞추어 눈을 떠 주었던 것이다. 식사가 준비되고 촛불이 은 식기들을 비추었다. 루미스는 눈을 뜨고 잠시 바라보다가 눈을 감았다가 다시 눈을 떴다. 그리고 그가 말했다.

"기적 같구나."

어떻게 보면 정말 그랬다. 일주일 전만 해도 그가 죽을 거라 생각했고 희망이 없었다. 그러나 그는 내 생일상을 바라보며 말을 하고 있었다.

내가 음식을 처음 떠먹였던 날부터 조금씩 회복되기 시작했지만 그때만 해도 단정하긴 일렀다. 그다음 날 오후 늦게 그가 깨어났을 때는 분명히 알 수 있었다. 내가 방으로 들어갔는데 그가 내 말을 듣고 있었다. 눈을 뜨고 나와 눈을 맞추어서 그가 나를 보고 있음을 알 수 있었다. 놀랍게도 아주 미약한 소리로나마 말할 수 있었고 그가 처음 한 말은 바로 이것이었다.

"피아노를 치더구나."

그를 와락 끌어안고 싶었지만 대신 그의 침대 맡에 앉았다.

"네. 아저씨가 들었을 줄은 몰랐어요."

"들었어. 점점 멀어지긴 했지만……."

그가 말을 채 끝내지 못하고 눈을 감았다. 그리고 다시 잠들었다.

대단한 일이라고는 말할 수 없었지만 의미심장한 일이었다. 그가 다시 볼 수 있고, 말을 할 수 있다니! 30분 정도 더 자게 둔 다음 수프를 가져와서 커스터드를 떠먹여 주었을 때처럼 그의 곁에 앉아 떠먹여 주었다. 처음엔 말을 별로 하지 않고 수프를 한 숟가락씩 넘겼다. 수프가 맛있는지 거의 허겁지겁 먹다시피 했다. 한 컵 정도 가져왔는데 전부 다 먹었다. 그러고 나서 그가 말했다.

"내가…… 멀리 갔었어."

목소리에 한결 힘이 있었다.

"네가 연주하는 소리가 들리더구나. 아주 작게 들려서…… 내가 들으려 애썼어……."

그는 숨이 차서 말을 멈추었다.

"소리가 점점 멀어졌는데…… 들으려 애썼더니…… 다시 여기로 돌아왔어."

"아직 말을 하기엔 무리예요. 너무 애쓰지 마세요. 하지만 피아노 소리를 들으셨다니 다행이네요."

가엾은 루미스. 내 피아노 연주가 도움이 되었다고 말하고 싶었나 보다. 내가 책 읽어 주는 소리도 들었는지 궁금했다.

그는 그 소리도 들었다. 다음 날 그는 훨씬 더 기운을 회복했다. 열도 겨우 38도였고 알코올로 닦아 줄 필요도 없었다. 조금 움직일 순 있었지만 아직 혼자 식사할 수 있을 정도는 아니었다. 눈을 뜨고 있는 시간이 좀 더 길어졌다. 그는 누워서 방 안을 둘러보았다. 다시 입을 열었을 때 그의 목소리는 그다지 가냘프지 않았고, 숨이 가빠 보이지도 않았다. 그러나 그는 여전히 많이 아팠던 날의 기억을 떠올리고 있었다.

"모든 것에서 아주 멀리…… 아주 멀리 떠난 기분이었어. 아주 추운 곳으로. 멀리 흘러갔어. 숨을 쉴 수가 없었지. 그런데 네가 말하는 소리가 들렸고 그 소리를 듣는 동안엔 흘러가지 않았어. 음악도 마찬가지고."

"많이 좋아지셨어요."

"그런 것 같다. 이젠 별로 춥지가 않아."

나는 그에게 대략 두 시간 간격으로 커스터드와 수프를 더 먹였고, 그는 매번 더 배고파하는 것 같았다. 식욕이 점점 좋아져서 세 번째 날에는 고형식으로 바꾸어 주었다. 그는 식음을 전폐하고 버텼던 시간들을 보충하고 있었다. 아마 체중이 7킬로그램 정도 준 것 같았다.

네 번째 날 또 다른 좋은 징조가 있었다. 그에게 떠먹여 주려고 점심을 들고 갔더니 그가 팔꿈치로 몸을 지탱하며 누워 있었다. 안색도 한결 좋았다.

"네가 날 좀 일으켜 주면 내가 할 수 있을 것 같아."

그가 말했다.

"뭘요?"

"먹는 거."

나는 좀 망설였지만 그가 우겼다.

"어떻게 되든 한번 해 보자."

나는 베개를 더 가져다 놓고 팔을 그의 겨드랑이에 넣어 몸을 일으켰다. 그는 점심을 자기 무릎 위에 놓고 직접 먹었다. 손이 떨리긴 했지만 어떻게든 혼자 먹으려는 의지가 강했고 그런 자신을 뿌듯해하는 것 같았다. 내가 숟가락으로 떠먹여 주니 아기가 된 것 같은 기분이 들었나 보다.

나는 점점 덜 걱정하게 되었고, 걱정이란 게 늘 그렇듯이 (적어도 나의 경우에는) 큰 걱정이 사라지고 나니 작은 걱정들이 스멀스멀 고개를 들기 시작했다. 그동안 신경 쓰지 못했던 텃밭으로 나가 보았다. 근 열흘 가까이 밭을 갈아만 놓고 씨도 못 뿌린 채 방치해 두고 있었다. 그런 것들은 앞서 말한 것처럼 비교적 작은 걱정 축에 들었지만 어떻게 보면 현실적인 걱정이었다. 슈퍼마켓에 있는 제품들로 겨울을 날 수는 있을 것이다. 소와 닭들도 마찬가지다. 그러나 그 이후의 상황은 조금 위태로웠다. 왜냐하면 내가 보관하고 있는 씨앗들은 벌써 2년을 묵혔고 내년이면 3년이 되기 때문이다. 해가 거듭될수록 싹을 틔울 확률이 적어진다. 새 씨앗을 얻기 위해서라도 씨를 뿌려야 했다.

나는 그 모든 일을 나 혼자의 몫이라고 생각했고 루미스에겐 한마디도 하지 않을 작정이었다. 나는 텃밭을 둘러보면서 이제 씨 뿌릴 준비가 되었음을 확인했다. 땅이 조금 딱딱하게 굳긴 했지만 심각한 정도는 아니었다. 괭이와 갈퀴로 금방 복구할 수 있었다. 둘 다 울타리 문 옆에 내가 세워 둔 그대로 있었다. 전반적으로 밭의 상태는 만족스러웠다. 씨 뿌릴 때가 한 달이나 지났기 때문에 날이 더워져서 콩은 싹을 많이 틔우지 못할 것이고 먹을 것도 별로 없을 것이다. 그러나 내년 봄에 뿌릴 씨앗은 얻을 수 있을 것이다. 2주 후에는 상추와 무, 겨자 잎을 뜯을 수 있고, 감자도 작지만 싱그러운 초록색 덩굴이 돋아나기 시작할 것이다.

들판으로 나가 보았다. 이랑과 고랑은 여전히 남아 있었지만 어딘가 썰렁해 보였고 잡초가 올라오고 있었다. 써레질만 하면 그런 문제들은 해결될 것이었다. 중요한 건 옥수수를 심는 일이었다. 9월 혹은 10월이나 되어야 익겠지만 옥수수는 수확할 수 있을 것 같았다. 소와 닭들을 겨우내 먹일 사료를 장만하기까지 아직 시간이 많이 남아 있었다. 옥수수를 수확하면 통으로 저장할 수도 있고 가루로 빻을 수도 있다. 무엇보다도 내년에 심을 엄청난 양의 씨앗을 얻을 수가 있다.

대두에 대해선 잘 모르겠다. 대두를 키워 본 적도 없고 아빠가 어떻게 심었는지 기억이 나지 않는다. 더 일찍 심어야 할 것 같다. 그래도 한번 해 봐야지. 씨라도 얻을 수 있을 테니까.

그 모든 게 중요하고 심각한 문제들이지만 내가 빨리 시작하기만 하면 해결될 문제들이었다. 앞서 말했듯이 나는 루미스에게 이 얘길 하지 않을 생각이었다. 그러나 다섯 번째 날 그는 나를 두 번 놀라게 했다. 하나는 밭을 갈고 씨 뿌리는 일과 관계 있는 사건이었고 하나는 다른 사건이었다.

첫 번째 사건은 그가 날 야단친 것에 가까웠다.

"트랙터가 아직 작동이 되니?"

아침 식사를 들고 갔을 때 그가 말했다.

"네. 많이 사용하진 않았어요."

"씨 뿌리는 일은 잘되어 가니? 텃밭은 다시 되돌려 놓았니? 옥수수는?"

그의 말투는 신경질적이었고 못 미더워하는 기색이 역력했다. 전에도 들어 본 적이 있는 말투였다. 언제인지 기억이 났다. 에드워드에게 말할 때였다. 나는 사실대로 털어놓았다.

"텃밭은 괜찮아요. 호미질을 해 줘야 해요. 하지만 옥수수는……."

"옥수수는?"

그가 몹시 짜증스러운 목소리로 물었다.

"아직 씨를 못 뿌렸어요. 콩도 그렇고요."

내 말에 그는 무척 속상해하는 것 같았다. 그는 팔꿈치로 몸을 일으켰고 거의 일어나 앉은 자세였다. 기력을 많이 회복했다.

"안 뿌렸다고? 왜?"

"아저씨가 많이 아팠잖아요. 너무 걱정이 돼서……."

그가 내 말을 잘랐다.

"그게 씨 뿌리는 거하고 무슨 상관이지?"

"열이 높을 때 아저씨가 헛소리를 하셔서, 아저씰 혼자 두고 나갈 수가 없었어요. 혹시라도……."

"그럼 한 번도 집 밖으로 안 나갔단 거니?"

"처음엔요. 젖 짜러 나간 것 빼고는."

거기서 나는 실수를 저질렀다.

"나중엔 교회에도 갔어요."

"교회?"

도저히 믿을 수 없다는 듯 그가 물었다.

"교회라니!"

그가 도로 침대에 누웠다.

"얼마나 걸렸는데?"

"잘 모르겠어요. 세 번 갔어요."

그 말을 괜히 했다는 생각이 들었다. 교회에 갔다는 말이 그의 신경에 몹시 거슬렸나 보다.

163

"교회에 세 번이나 갔으면서 밭에는 씨를 안 뿌렸다니……."

그때 내가 어떤 기분이었는지, 그가 죽어 간다고 생각했을 때 교회에 가는 게 내게 얼마나 중요한 일처럼 느껴졌는지 설명하고 싶었지만 그래 봐야 화만 돋울 것 같았다.

그래서 내가 말했다.

"그렇게 나쁜 상황은 아니에요. 가끔은 이맘때도 심었는걸요. 7월에 심은 적도 있어요. 그래도 잘 자랐어요."

"서리가 언제 내리는데?"

회의적인 목소리였다.

"11월이나 되어야 내려요. 옥수수는 10월이면 수확할 수 있을 거예요. 아니면 9월이나."

"네가 지금 당장 심는다면."

"오늘 심으려고 했어요. 어제 밭에 나가 봤거든요. 먼저 써레질을 해야 해요."

"얼마나 걸리지?"

"반나절 정도요. 오늘 오후에 일부는 심을 수 있을 거예요. 아니면 전부 다 심거나."

그는 그제야 조금 진정이 되는 것 같았다. 변명처럼 이런 말까지 덧붙였다.

"앞으로 버틸 식량이 걱정돼서 그래. 꿈까지 꾸었어."

그가 뭐라고 하건 내가 놀란 건 사실이었다. 그는 크게 화를 냈고 내가 왜 교회에 갔는지, 그가 살아나길 얼마나 간절히 바랐는지 이해하지 못했다. 그에게 설명하고 싶은 마음도 들었지만 나중에 할 생각이었다. 씨를 뿌리고 난 뒤엔 그런 얘길 꺼내기가 덜 힘들 것 같았다.

그러나 좀 더 생각해 보니 그렇게 단순한 문제만은 아니었다. 나는 그동안 밭, 트랙터, 이 골짜기, 씨 뿌리는 일과 텃밭의 모든 것을 내 것, 내 일, 내 걱정거리라고 생각해 왔다. 그러나 이제 그는 그 모든 것이 그 자신의 일이기도 하다고 생각하고 있었다. 그 이유를 알 것 같았다. 지금까진 그가 아팠기 때문이다. 내 존재를 처음 그에게 알렸을 때부터 그는 아팠다. 이제 처음으로 그가 아픈 상황이 끝났다. 완전히 회복된 건 아니지만 그가 회복되리란 걸, 그리고 살아남으리란 걸 그 자신도 알았다. 그게 바로 달라진 점이었다. 그래서 그는 이 골짜기가 내 것이기도 하지만 자기 것이기도 하다고 생각하고 있었다. 나도 어서 그 생각에 익숙해져야 할 텐데.

또 다른 사건은 별로 심각한 건 아니었다. 사실 그 사건은 조금 딱하다 못해 우습기까지 했다.

그날 아침 내내 나는 트랙터로 써레질을 했다. 2주 동안 방치해 두었는데도, 흙은 쉽게 부서졌다. 나는 흉측하고 울퉁불퉁한 흙무더기가 매끄럽고 좁은 이랑으로 변해 가면서 밭의 모습을 되찾아가는 것을 지켜보았다. 파로가 트랙터 주위를 뛰어다녔고 녀석이 뛸 때마다 발끝에서 흙이 튀었다. 파로는 트랙터 바퀴 가까이 다가가면 안 된다는 걸 알았다.

오후가 되자 씨를 뿌렸다. 옥수수 씨를 4분의 3 정도 뿌리고 나니 저녁 식사를 준비할 시간이었다. 씨를 뿌리면서 나는 이틀 뒤가 내 생일이라는 사실을 생각했다.

그 생각을 하니 스토브가 있다는 것이 더 뿌듯하게 느껴졌다. 여러 층으로 이루어진 제대로 된 생일 케이크를 만들 수 있을 테 니까. 막 저녁 준비를 시작하는데 루미스의 방에서 쿵 소리가 났 고 뒤이어 부스럭거리는 소리가 들려왔다. 그가 버둥거리는 듯 한 소리였다.

그는 실제로 버둥거리고 있었다. 고독한 몸부림이었다. 방으 로 가 보았더니 그가 바닥에 괴상한 모양으로 엎어진 채 침대를 잡고 일어서려 애쓰고 있었다.

내가 얼른 달려갔다.

"떨어지셨어요?"

"그게 아니고…… 내가 괜한 짓을 했구나. 혼자 일어나 보려 다가 그만……."

그는 무릎으로 겨우 버티며 몸을 일으킨 다음 있는 힘을 다해 침대로 돌아가려 애썼다. 거의 성공할 듯싶었는데 그가 체중을 다리와 무릎으로 옮기려는 순간, 마치 술 취한 시늉을 하는 코미 디언처럼 그대로 주저앉고 말았다. 그는 결국 다시 바닥에 널브

러졌다.

"제가 일으켜 드릴게요."

"아니."

그가 사뭇 단호하게 말했다.

"할 수 있어. 대신 거기 서서 구경하지 마."

아마도 자신이 초라하게 느껴졌나 보다. 그 마음은 나도 이해할 수 있었다. 그래서 나는 문밖에 있었다. 잠시 후 그가 다시 일어서려 애쓰는 소리가 들렸고 그가 앉는 순간 침대가 삐걱거리는 소리가 들렸다. 나는 다시 부엌으로 가서 저녁을 준비했다. 저녁을 가져다주었을 때 그는 한결 기분이 나아 보였다. 그는 그일에 대해 전혀 언급하지 않았고 나에게 몇 가지를 가져다 달라고 했다. 연필, 백지, 자, 각도기, 컴퍼스.

다행히도 전부 다 2층 내 방 책상 위에 있었다. 기하학 시간에 쓰던 것들이었다. 나는 저녁 식사 후 그것들을 챙겨 그에게 가져다주고 나서 생일 케이크 만들 준비를 했다.

# 열다섯

## 6월 22일

내 생일이 있던 주부터 그는 다시 걷는 법을 배웠다. 그러나 무언가를 잡고 겨우 걷는 정도였다.

처음 사흘 동안 그는 지난번처럼 도전과 실패를 반복했다. 그리고 그 사실을 숨기려 했다. 이유는 정확히 모르겠다. 그가 나가떨어지는 걸 내가 보고 있으면 자신이 한심하게 느껴지나 보다. 어쩌면 날 놀라게 해 주고 싶었던 걸까. 그러나 나는 부엌에서 전부 다 듣고 있었다. 그의 발이 바닥에 닿는 소리. 그가 몸을 일으킬 때 침대가 삐걱거리는 소리. 내가 밖에 나가 있을 때에도 걷는 연습을 했을지도 모른다. 그는 다리 운동을 하고 있었다.

매번 다리에 조금 더 체중을 실어 보는 연습을 했다.

그리고 네 번째 날 드디어 성공했다. 이번에도 혼자서 해냈다. 내가 (점심을 준비하며) 부엌에 있을 때 전처럼 쿵 하는 소리가 들렸고 잠시 후 틀림없는 발소리가 이어졌다. 한 번 그리고 또 한 번. 아주 느리고 조심스러운 발소리였다. 나는 달려가 박수라도 쳐 주고 싶었다. 그러나 내게 축하받고 싶었다면 그가 나를 불렀을 것이다. 그는 이걸 자기 혼자만의 문제라고 생각하는 게 분명했고 혼자 해결할 생각이었다.

그러나 그의 그런 태도 때문에 나는 엿듣기쟁이가 되고 말았다. 그의 소리가 부엌에서도 들린다는 걸 그는 알지 못했고 나는 엿듣는 것 같은 기분이 싫어서 그에게 말해야겠다고 생각했다. 언젠가부터 (아침 식사를 제외하고) 그의 침대 옆에 카드 테이블을 펴 놓고 식사했다. 그래서 쟁반을 들고 방으로 들어가 그에게 그릇을 건네주고 나도 내 그릇을 들고는 그에게 말했다.

"걷는 소릴 들었어요."

내가 방에 들어갔을 때 그는 이미 침대로 돌아가 자기가 그린 설계도를 들여다보고 있었다. 지난 한 주 내내 그는 설계도를 그렸다. 수력 발전기를 구상하는 중이었다.

"어서 걸어야지."

무표정한 얼굴로 그가 고개를 들며 말했다.

내 말에 별다른 관심을 보이지 않고 다시 설계도를 들여다보며 덧붙였다.

"책이 있으면 좋겠는데…… 이걸론 충분치가 않아."

《농장 기계 정비》라는 책이 침대 맡에 놓여 있었다.

"어떤 책요?"

"엔지니어링, 물리학, 전기. 여러 권이 필요해. 쓸 만한 백과사전도 있으면 좋겠고. 백과사전 없니?"

"없어요. 하지만 어디 있는진 알아요. 오그덴타운 도서관에 있어요."

"오그덴타운?"

"여기 오는 길에 아마 지나치셨을 거예요. 코트 거리에 있는 회색 건물."

"수많은 도시를 지나쳐 왔지. 수백 개는 될걸."

"오그덴타운이 마지막 도시였을 거예요."

"여기서 얼마나 멀지?"

그가 책을 가지러 갈 생각인 것 같아 기뻤다.

"그렇게 멀진 않아요. 여기서 두 번째 봉우리를 넘어가면 있어요."

"몇 킬로미터?"

"30킬로미터 정도요. 30킬로미터 조금 넘을 거예요."

(실제로는 40킬로미터에 가까웠다.)

잠시 침묵이 흘렀다. 그는 점심을 몇 숟가락 떠먹더니 더 이상 아무 말도 하지 않았다.

　그래서 내가 물었다.

　"만약 거기서 책을 가져오면…… 책을 여기로 가져오면……
너무 위험할까요? 방사능 때문에?"

　"응."

　"얼마나요? 영원히?"

　"아니. 결국엔 사라질 거야. 한 6개월 정도. 그 이상일 수도 있
고 이하일 수도 있고. 크기에 따라 달라."

　"그렇게나 오래요?"

　"별로 걱정할 문제 아니야. 안전복을 입고 가서 필요한 부분
을 베껴 오든지 해야지. 기어 비율 같은 거."

　"전 책을 읽고 싶어요. 6개월 정도 기다려서라도."

　"기계에 관한 책들이라 별로 재미없을걸."

　"도서관엔 다른 책들도 있거든요. 셰익스피어, 디킨스, 하디
같은 것들. 시집도 있고요."

　내가 짐작했던 대로 그는 그 방면으론 별로 관심이 없었다.
그는 조금 더 식사를 하고 나서 말했다.

　"어쨌든 방법이 없어. 적어도 지금은. 내가 그렇게 멀리 걸을
수가 없으니까. 내가 걸을 수 있게 되면……."

　바로 그때, 너무도 오랫동안 생각해 왔던 일이라 나는 그만
해선 안 될 말을 내뱉고 말았다.

"제가 가면 되잖아요. 안전복을 빌려주시면 제가 갔다 올게요."

그 순간 그가 얼마나 화가 났는지 나로선 믿기 힘들 정도였다. 그가 아팠을 때 에드워드에게 했던 말을 생각하면 내가 짐작했어야 했다.

"안 돼."

낮고도 분노에 찬, 냉혹한 목소리였다.

"넌 못 가. 그 점 명심해라. 안전복에 손대지 마. 절대로."

그에게 말해 주고 싶었다. 나는 이미 안전복에 손댔다는 걸. 그러나 다행히 나는 그 말을 참았다. 그가 기억을 못 할 거란 생각이 들었다. 그때 그는 몹시 아팠고 제정신이 아니었다. 우리는 긴장이 감도는 침묵 속에서 식사를 했다. 머물 곳을 찾은 지금 그가 왜 그토록 안전복에 집착하는지 의문이었다. 혹시 내가 총탄 구멍을 볼까 봐 두려운 걸까. 그러나 나는 그에게 그 꿈에 대해 얘기한 적이 없으니, 그럴 것 같지도 않다. 그렇다면 내가 안전복의 기운 자국이 뭔지 알 게 뭔가.

그는 점심을 끝내고 나서(식욕은 전혀 영향을 받지 않았다!) 조금 퉁명스러운 목소리로 말을 이었다. 미소를 지으려 애썼지만 여전히 강의하듯 말하고 있었다.

"네가 이해해야 한다. 우리 자신을 제외하면 안전복은 세상에서 가장 중요한 것이니까. 하나밖에 없고 새로 만들 방법도 없

172

어. 우리가 아는 바로는 이 골짜기 말고는 전 세계가 위험하고 사람이 살 수 없는 곳이 되어 버렸어. 언제까지 이런 상태가 계속될지도 모르고. 어쩌면 영원히 계속되겠지. 이런 상태가 계속되는 한 안전복은 우리가 죽지 않고도 바깥세상으로 나갈 수 있는 유일한 수단이야. 고작 소설 따위나 가져오겠다고 그걸 사용한다는 건…… 생각해 볼 가치도 없는 한심한 일이야. 만약 네가 가지고 갔다가 일이 잘못되기라도 하면 난 그걸 찾으러 나갈 수도 없어. 아예 시도조차 못 해. 영원히 끝인 거지."

그게 바로 그가 에드워드와 다투었던 문제였다. 심지어 그는 어떤 대목에서 같은 단어를 사용하기까지 했다. 할 말은 없었다. 결국 안전복은 그의 것이었으니까. 그리고 그가 한 말은 사실이었다. 소설이 없다고 죽는 건 아니다.

그래도 생각만으로도 즐거운 일이었다. 상상 속에서 나는 도서관에 여러 번 가서 우리 집을 작은 도서관처럼 꾸며 보기도 했다. 비록 실용적인 생각이라고는 말할 수 없지만, 특히 루미스의 관점에서 보면 더더욱 그렇겠지만 만약 그가 기계에 관한 책들을 가지러 도서관에 간다면 내가 읽을 책 한두 권 정도는 가져다줄 수 있을 것이다. 그건 그에게도 그다지 불쾌한 생각이 아닐 것이다.

그러나 나는 화제를 좀 더 안전한 쪽으로 돌려 물었다.

"몇 걸음이나 걸으셨어요?"

"네 발짝. 침대 잡고. 오늘 아침엔 세 발짝."

"좀 더 걸을 수 있게 되면 베란다에 의자를 가져다 놓을게요. 잠깐이라도 이 방에서 벗어날 수 있도록."

"나도 그런 생각을 해 봤어. 뒤 베란다에 앉아 있어도 되겠지. 씨 뿌리는 걸 볼 수 있게."

"옥수수가 벌써 싹이 나기 시작했어요. 며칠 내로 솎아 내야 할 거 같아요. 완두콩하고 콩도 심었는데 아직 올라오진 않았어요."

"비트는? 그리고 밀은?"

"그건 아직 못 뿌렸어요."

"계획을 세워야지. 내년만 생각할 게 아니라 그 이후도 생각해야 해. 비트에서 설탕을 거두고 밀로 밀가루를 만들어야 하니까."

내가 씨를 뿌려 키울 수 있는 양이 제한되어 있어서 비트는 포함시키지 않았다고 설명했다. 호박이나 순무 같은 것들도 마찬가지였다. 슈퍼마켓에 씨앗이 있었지만 파종 계획을 세울 때 트랙터는 염두에 두지 않았었다.

"네가 무슨 생각을 하는지 알아. 슈퍼마켓에 설탕이 충분히 있다고 생각하겠지. 나도 봤다. 아직 상태가 괜찮더라. 하지만 그걸 다 쓰고 나면 그땐 어쩔 건데? 그건 아주 한심하고 근시안적인 생각이야."

그의 목소리가 다시 날카로워졌다. 그는 말을 이었다.

"침대에만 누워 있느라 그동안 생각할 시간이 많았는데, 이 골짜기를 전 세계로 보고 계획을 세워야 한다는 생각이 들더구나. 우린 식민지를 새로 개척하는 거야. 영원히 지속될 식민지를."

그것은 내가 밭을 갈 때 했던 것과 비슷한 생각이었다. 적어도 상당히 비슷한 생각이었다. 그러나 그의 말투가 어딘가 거슬렸다. 이유는 알 수 없었다.

쟁반을 들고 나가려는데 그는 한마디를 덧붙였다.

"교회에 가서 뭔가 기도하고 싶으면 수송아지가 태어나게 해 달라고 기도하렴."

"무슨 말씀이신지…… 이해가 안 가요."

우리 송아지는 아주 건강해 보였다.

"가솔린이 다 떨어지면 가축들이 쟁기를 끌어야 하니까."

생활 방식의 변화를 신속하게 받아들이지 않는 아미시 사람들 중에는 당나귀나 황소를 이용하여 밭농사를 짓는 사람들이 있었다. 아주 어렸을 때 본 기억이 있다. 우리 집 헛간 벽에도 낡은 나무와 가죽으로 만든 마구들이 있다. 사용하는 건 한 번도 본 적 없지만.

그는 가축을 늘려야 한단 얘기를 하고 싶었을 것이다. 나도 처음엔 그런 생각을 했다.

175

그는 내게 새 면도기와 면도날을 가져오라고 했다. 내가 가져
다주자 턱수염을 깎았다. 그러고 나니 훨씬 더 건강해 보였다.

# 열여섯

## 6월 24일

최근 며칠 동안 나의 불안감은 더욱 커졌다.

루미스가 우겨서 결국 밀과 비트를 심었다. 비트는 두 줄을 심었다. 옥수수를 심은 밭에, 콩 바로 옆에 두 줄을 심었다. 잘만 자라 준다면 먹을 수 있는 양보다 많은 양의 비트를 수확하겠지만 목적은 씨를 얻는 것이다. 해마다 그렇게 한다면, 어느 때고 설탕이 필요할 때 설탕을 만들 수 있을 것이다. 그게 합리적인 생각이라는 데는 나도 동의한다.

그 밭에는 밀을 심을 공간이 없어서 연못 뒤쪽 먼 들판에 600평 정도를 심었다. 밀을 심는다는 건 풀이 적어지는 걸 의미

하지만 그런 건 중요하지 않다. 씨앗을 얻기 위해 필요한 몇 바구니 정도만 수확하고 남는 밀은 소를 먹일 것이다. 닭도 먹을 수 있겠지만 녀석들은 옥수수를 더 좋아한다.

나는 루미스에게 그동안 밀을 심지 않은 이유를 설명했다. 밀을 밀가루로 빻을 방법이 없었기 때문이라고.

"그건 문제가 안 돼."

그가 말했다.

"내가 회복되면, 그래서 좀 더 멀리 걸을 수 있게 되면 밀을 빻는 법을 익히면 되니까. 중요한 건 씨앗이 죽지 않게 유지하는 거야."

그 말이 날 불안하게 한 건 아니었다. 나의 불안감은 다른 데서 시작되었다.

나는 약속대로 의자를 베란다에 내다 놓았다. 부모님 침실에서 가져온, 천을 씌운 자그마한 팔걸이의자였다. 발 받침대도 딸려 있는 것이어서 베개, 담요와 함께 발 받침대도 내왔다. (나도 앉아 본 적이 있는) 아주 편안한 의자였다.

그가 요구한 대로 나는 의자를 뒤 베란다에 놓았다. 뒤 베란다에는 발 받침대를 놓을 공간이 없어서 앞 베란다만큼 여건이 좋지는 않았다. 그러나 어제 아침 내가 물어봤을 때 그는 그래도 뒤 베란다로 나가겠다고 했다.

앓고 난 뒤 방에서 처음 나온 거였는데도 그는 꽤 잘 해냈다.

나는 벽장에서 그동안 잊었던 물건을 찾아냈다. 언젠가 아빠가 발을 삐었을 때 쓰던 지팡이였다. 루미스는 지팡이를 짚고 내 한쪽 어깨에 기대어 베란다로 나가 의자에 앉았다. 아직 무릎이 후들거렸고 발을 제대로 들어 올릴 수가 없지만 어쨌든 겨우 걸을 수 있었다.

그는 아침 내내 의자에 앉아 있었다. 마치 감독관처럼. 그리고 내가 쟁기질을 하고, 써레질을 하고, 비트 두 줄을 심는 걸 지켜보았다. 점심 식사 후 루미스는 낮잠을 잤고, 나는 다시 밀을 심었다. 산 너머로 해가 질 무렵 집으로 돌아와 보니 그가 깨어 있었고 다시 나가고 싶다고 했다. 이번에는 앞 베란다로. 그래서 나는 그를 의자에 앉혀 주고 그의 발을 받침대에 올려놓은 다음 담요를 덮어 주었다. 그리고 안으로 들어가 저녁을 준비하기 시작했다.

그 뒤로 일어난 일은 나에게도 잘못이 있는 것 같다. 저녁거리를 스토브에 넣고 주전자를 불에 올려놓은 다음 나는 식탁 의자를 베란다에 있는 그의 옆에 놓고 앉았다. 잠깐 쉬고 싶은 마음도 있었지만 다른 이유도 있었다. 그가 회복되기 시작하면서 내 마음속에서 자라나기 시작한 감정 때문에 언젠가부터 늘 마음이 편치 않았다. 문득 그에 대해 아는 게 없다는 생각이 들었다. 그가 처음 이곳에 왔을 때는 나 말고 다른 누군가가 존재한다는 사실만으로도 너무 흥분되고 기뻐서 그가 어떤 사람인지

179

에 대해 깊이 생각하지 않았다. 그는 매력적이고 다정한 사람 같았다. 그러나 그가 회복된 이후로는 내가 그를 잘 모른다는 생각이 들었다.

그는 플라스틱과 안전복을 만드는 연구실에 가게 된 이유와 지하 공군기지에 갔던 일에 대해 아주 간략하게 설명했을 뿐이었다. 나는 그의 악몽을 통해 에드워드와의 싸움에 대해서도 알게 되었다. 그러나 지금은 그게 내가 아는 전부였다. 그는 자기 자신에 대해 거의 말하지 않았다. 심지어 지금은 아프기 전보다 더 과묵해진 것 같았다. 그는 내게 호기심도, 관심도 없어 보였다. 언젠가 내가 피아노 치는 걸 좋아했던 것 말고는.

그가 그럴 수밖에 없는 이유를 알 것도 같았다. 사실 한 가지 이상의 이유가 있었다. 에드워드 살해. 연구실에서 혼자 지낸 몇 달. 죽음의 마을들을 혼자 지나치며 이어졌던 길고 절망적인 도보 여행. 그 모든 건 너무도 끔찍한 일이었고 그래서 그 외의 다른 모든 것은 마음속에서 지워졌을 것이다. 과거를 회상할 때마다 끔찍한 기억들이 떠올랐을 것이고 그래서 지난날을 돌아보고 싶지 않았을 것이다. 그것 외에도 병과 고열이 그의 심리 상태를 일부 변화시켰을 수도 있었다. 있을 수 있는 일이었다. 그러나 이유가 무엇이건 간에 서로에 대해 거의 아는 게 없는 낯선 사람으로 영원히 지낼 수 없었다.

에드워드 얘긴 꺼내고 싶지 않았다. (어쩌면 영원히 꺼내지 않을 것이다.) 그리고 연구실 얘기도. 나는 그 이전 얘기를 듣고 싶었다. 그의 옆에 앉긴 했지만 어떻게 해야 할지 몰랐다. 책이나 영화에서 보면 "이제 당신 얘기를 해 봐요."라고 하거나 "당신 얘기 좀 들려주세요."라고 말하지만 그건 처음 만났을 때나 하는 얘기고 왠지 진부해 보였다.

그가 내 피아노 연주를 좋아했다는 사실을 떠올리며 내가 물었다.

"혹시 가족 중에 피아노 칠 줄 아는 사람이 있었어요?"

"아니. 우리 집엔 피아노 없었어."

"가난했어요?"

"응. 가끔 사촌네 집에 놀러 갔는데 그 집엔 피아노가 있었고 친구의 어머니가 피아노를 연주했지. 듣기 좋았어."

"어디였는데요?"

"뉴욕 주에 있는 동네. 나이액이란 곳."

그는 굳이 보태어 설명하지 않았다. 뉴욕 주 나이액에 대해 내가 아는 게 하나도 없기 때문에 대화는 거기서 중단되었다.

나는 다시 시도했다.

"코넬 대학에 다니기 전엔 뭐 하셨어요?"

"다른 사람들이 하는 거. 학교에 다녔지. 고등학교, 대학교. 여름방학 땐 일했고."

그는 덤덤하고 무뚝뚝하게 굴기로 작정을 한 것 같았다.

"그게 다예요?"

"대학 졸업하고 4년 동안 해군에 있었어."

대화의 문이 다시 열린 듯했다.

"그럼 배를 타셨어요? 어디 가 보셨어요?"

"뉴저지 주 브리스톨에 있는 해군 군수 연구소에 있었어. 대학에서 화학을 전공했거든. 해군에서 화학 전공자를 구했고, 거기서 처음 플라스틱 연구를 시작했지. 해군에서는 다른 어느 곳보다 많은 양의 플라스틱을 사용하고 항상 신제품을 개발하거든. 선박 부품, 대포 덮개, 잠수복, 심지어 선체까지 플라스틱이 필요하니까. 흠집이 생기지도, 얼지도, 금이 가지도, 부식하지도, 물이 새지도 않는 플라스틱."

"그렇군요."

우리의 대화는 제자리를 맴돌고 있었다.

"군 복무를 마치자마자 코넬 대학원에 입학했지."

얘기 끝.

영 희망이 보이지 않았다. 거기서 포기해야 옳았겠지만 나는 그러지 않았다. 대신 나는 그에게 물었다.

"그럼…… 혹시 결혼한 적 있으세요?"

그가 묘한 표정으로 나를 쳐다보았다.

"그거 물어볼 줄 알았다."

그리고 그 일이 일어났다. 나는 정말 깜짝 놀랐다. 그는 조금도 웃지 않고 손을 뻗어 내 손을 잡았다. '움켜잡았다'가 더 정확한 표현일 것이다. 그는 내 손을 재빨리, 강하게 움켜잡으며 자기 쪽으로 확 끌어당겼고 그 바람에 나는 하마터면 넘어질 뻔했다. 그는 양손으로 내 손을 움켜잡고 있었다.

"아니, 결혼한 적 없어. 그걸 왜 묻니?"

너무도 놀란 나머지 나는 그저 가만히 앉아 멍하니 그를 쳐다보았다. 처음에 나는 그가 내 말을 오해한 거라고 생각했다.

그때부터 나는 무안했고, 어색했고, 두려웠다. 꼭 그 순서대로였다. 먼저, 아주 사소한 이유로 무안했다. 왜냐하면 일을 하느라 거칠어진 내 손에 비해 오랫동안 안전복의 장갑을 끼고 있던 그의 손은 보드라웠기 때문이다. 그다음 어색했던 이유는 그가 나를 잡아당겨서 의자에 똑바로 앉아 있을 수가 없었기 때문이다. 마지막으로 두려웠던 이유는 내가 손을 빼려는 순간 그가 더 세게 움켜잡았기 때문이다. 그가 내 손을 잡고 있는 태도는 다정한 것과는 거리가 멀었고 얼굴도 무표정했다. 그는 나를 《농장 기계 설비》를 읽을 때와 똑같은 눈빛으로 쳐다보았다.

"그걸 왜 묻지?"

그가 다시 한 번 물었다.

"이거 놓으세요."

내가 말했다.

"대답하기 전엔 안 돼."

"그냥 궁금해서요."

나는 떨고 있었다. 정말 두려웠다.

"뭐가 궁금한데?"

손을 놓아 주는 대신 그는 손에 더욱 힘을 주며 나를 끌어당겼고 나는 중심을 잃고 말았다.

그다음에 일어난 일은 나로서도 어쩔 수가 없었다. 의자에서 떨어지면서 내가 앞으로 엎어졌고 그 과정에서 중심을 잡기 위해 본능적으로 오른손을 들었다. (그는 내 왼손을 잡고 있었다.) 그런데 손을 들다가 그만 그의 얼굴을 치고 말았다. 세게 친 건 아니었지만 왼쪽 눈 근처를 쳤다. 그 순간 그가 몸을 뒤로 젖히며 손에 힘을 뺐고 나는 얼른 손을 빼며 뒤로 물러났다.

"조심했어야지."

그가 아주 낮은 목소리로 말했다.

왜 내가 사과를 해야 했을까. 지금도 이해가 안 가지만 어쨌든 나는 사과했다.

"죄송해요. 일부러 그런 건 아니었어요. 넘어졌어요."

혼란 속에서 어쩌면 미소까지 지으려고 했던 것 같다. 정확히 기억이 나지 않는다. 그러고 나서 나는 부엌으로 향했다.

"전에도 내 손 잡은 적 있잖아."

내가 돌아설 때 그가 말했다.

부엌에서 너무도 떨린 나머지 음식을 제대로 만들 수가 없었다. 생각조차 제대로 할 수가 없었다. 이러다 울음을 터뜨릴지도 모른다는 생각마저 들었다. 나로선 좀처럼 드문 일이었다. 나는 애써 울음을 삼켰다. 부엌 의자에 앉아 마음을 가라앉히려 애썼다. 대수롭지 않은 일이라고 생각했다. 데이트를 하고 나서 여자아이들끼리 주고받을 법한 얘기였다. 그러나 그런 얘기를 나눌 땐 늘 부모님이 있는 집으로 돌아가는 길이었다. 의지할 사람도, 얘기할 사람도 없을 때 그런 일을 겪는 것과는 달랐다. 나는 어느덧 아주 오랫동안 억눌러 온 상상을 하고 있었다. 데이비드, 조지프와 함께 부모님이 돌아오는 상상. 전에 그랬던 것처럼 나는 그런 생각들을 애써 떨쳐 냈다. 그러나 부모님을 생각하는 것만으로도 한결 마음이 차분해졌고 다시 저녁을 준비할 수 있었다.

그는 혼자 방으로 돌아갔다. 지팡이 짚는 소리와 끌리는 발소리가 들릴 때에도 나는 여전히 저녁을 준비하는 중이었다. 그는 벽을 짚고 걷고 있었다. 마침내 침대가 삐걱거리는 소리가 들렸고 내가 음식을 들고 갔을 때 그는 온갖 설계도에 둘러싸여 앉아 있었다. 그는 내가 내민 쟁반을 조심스럽게 받아 들었다. 마치 아무 일도 없었다는 듯이. 나는 평상시처럼 카드 테이블에서 저녁을 먹었지만 대화를 나누지는 않았다.

내가 전에도 그의 손을 잡은 적이 있다는 그의 말은 사실이었다. 어느 날 밤, 그가 몹시 아팠을 때, 맥박도 거의 잡히지 않고 호흡도 미세했을 때 그가 죽을 거란 생각이 들어서 곁에 앉아 그의 손을 잡았다. 얼마나 오랫동안 그의 손을 잡고 있었는지는 알 수 없다. 아마 몇 시간 동안 그러고 있었을 것이다. 그가 그 일을 기억할 줄은 몰랐다. 음악을 들려주고 책을 읽었을 때처럼 그저 내가 곁에 있다는 걸 그에게 알려 주고 싶었을 뿐이었다.

반면 그가 내게 보여 준 행동은 전혀 달랐다. 그런 행위에는 대체로 어떤 교감이 있게 마련이다. 그러나 그가 내 손을 잡았을 때, 어떻게 설명해야 할지는 잘 모르겠지만, 왠지 그가 자신의 권리를, 혹은 소유를 주장하는 것 같은 느낌이 들었다. 그는 나를 통제하려 했다. 씨 뿌리기, 가솔린의 사용량, 트랙터, 심지어는 교회에 가는 것까지 통제하려 했던 것처럼. 그리고 물론 안전복 문제에서도, 에드워드에게도 그랬던 것처럼.

바로 그런 이유로, 내 도움 없이 그가 침대로 돌아간 것은 분명 기뻐해야 할 일임에도 날 불안하게 했다.

# 열일곱

## 6월 30일

다시 동굴 생활을 시작했다. 이 동굴의 존재에 대해, 위치에 대해 루미스에게 말하지 않은 게 다행이란 생각이 든다. 이틀 전에 이곳으로 왔다. 오고 싶어 왔다기보다는 그럴 만한 일이 있었다. 차근차근 기록해 보겠다. 쓰다 보면 제대로 생각해서 어떻게 대처할지 결정하는 데 도움이 될지도 모르니까.

그가 내 손을 잡은 날 밤, 나는 파로를 데리고 잠자리에 들었다. 나는 너무도 긴장한 나머지 새벽 3시까지 잠을 이룰 수 없었다. 평상시보다 늦게, 아침 해가 훤히 밝아 올 무렵 잠에서 깨어난 나는 갑자기 모든 게 달라진 것 같은 두려움이 밀려들었다.

처음엔 그 이유를 알 수 없었다. 그러다가 마침내 그 일이 떠올랐고 나는 별일 아닐 거라고 나 자신을 타일렀다. 내겐 해야 할 일이 있었고 전과 다름없이 그 일들을 해야만 했다.

그래서 나는 일어나 달걀을 챙겼다. (암탉 한 마리가 알을 품어 병아리 여덟 마리가 부화했고 다행히 모두 살아 있었다! 또 다른 암탉 두 마리도 알을 품고 있었다.) 나는 젖을 짠 후 부엌으로 가서 아침 식사를 준비했다. 내 기분을 제외하면 모든 게 전과 똑같았다. 나는 부엌에서 아침을 먹었다. 매일 아침 나는 부엌에서 식사를 했다. 그가 나만큼 일찍 일어나지 않기 때문이었다. 부엌을 조금 치우고 나서 쟁반을 들고 그의 방으로 들어갔다. 나는 몹시 긴장했지만, 그는 설령 긴장했다고 해도 겉으로는 조금도 내색하지 않았다. 그는 쟁반을 받아 들고 평상시처럼 아침 식사를 하기 시작했다. 우리는 그날 내가 해야 할 일에 대해 얘기하기 시작했다. 나는 싹이 난 옥수수와 콩에 비료를 줄 생각이었고, 시간이 남으면 텃밭에도 비료를 주어야겠다고 말했다.

"뭘로 비료를 주니?"

"옥수수하고 콩은 화학비료를 줘요."

"슈퍼마켓에서 가져오는구나."

"네."

"얼마나 남았지?"

"정확히는 모르겠어요."

20킬로그램들이 비료 포대는 슈퍼마켓 뒤쪽 창고의 짐 싣는 곳 옆에 천장 높이까지 쌓여 있었다. 아미시 농장 사람들의 봄 파종에 대비하여 클라인 씨가 들여놓은 것이었다.

"아마 500포대 정도는 될걸요."

"그래도 언젠간 떨어지겠지."

"몇 년은 괜찮을 거예요."

"비료가 떨어지기 전에 퇴비로 바꾸어야 해."

"그래야죠."

싹이 튼 옥수수 밭 사이로 트랙터를 몰며 비료를 뿌리면서 나는 한결 기분이 나아졌다. 옥수수는 잘 자라서 벌써 몇 센티미터가 되었다. 줄기가 밝은 초록빛이었고 건강해 보였다. 나는 아빠를 흉내 내며 옥수수 줄기가 다치지 않는 범위에서 비료 분사기를 최대한 줄기 가까이에 대었다. 하늘이 맑고 고요했고 처음으로 햇볕이 조금 따갑다 싶었다. 파로는 처음 몇 이랑은 날 쫓아다니다가 중간에 밭 가장자리 사과나무 그늘로 물러나 앉아 구경만 했다. 모든 게 제자리로 돌아온 것 같은 기분이 들었다. 나는 마지막 이랑에서 고개를 들어 집 쪽을 쳐다보았다. 루미스가 베란다 의자에 앉아 몸을 앞으로 숙이고 있었다. 그늘진 곳에 앉아 있어서 그의 얼굴이 잘 보이진 않았지만 그가 날 지켜보고 있다는 건 느낄 수 있었다.

그의 모습이 날 긴장시켰다. 이유가 뭔지는 나도 잘 몰랐다.

나는 그가 있는 쪽을 쳐다보지 않고, 눈길을 주지 않고, 마치 그가 거기 있는 것조차 (그에게보다는 나 자신에게) 모르는 척하는 것으로 긴장감을 이겨 내려 애썼다. 밭이랑에 집중했고 밭에 뿌려지는 회색 비료에 집중했다. 트랙터를 세우고 정오에 집으로 가 보니 그는 다시 안으로 들어가 있었다.

점심은 평상시와 똑같았고 나는 다시 밖으로 나갔다. 오후 늦게 텃밭에 비료를 주었다. 이번에는 거름을 썼다. 먼저 낡은 나무 손수레에 거름을 모았다. 축사 밖 배설물 무더기에서도 모았고, 닭장에서도 모았다. 거름을 쓰는 건 루미스가 한 말 때문이 아니라 우리도 늘 그렇게 했기 때문이었다. 거름을 쓰면 화학비료를 쓰는 것보다 채소가 훨씬 더 잘 자란다.

저녁 식사 시간이 되기 전까진 전반적으로 무난한 하루였다. 그리고 저녁 시간에 일어난 일도 그다지 놀라운 일은 아니었다.

6시 30분경. 나는 부엌에 있었고 식사 준비를 거의 마친 상태였다. 나이프와 포크를 놓고 있는데 방에서 나오는 그의 지팡이 소리와 발소리가 들렸다. (전보다 어딘가 다급하게 느껴지는 소리였다.) 나는 그가 베란다로 나가려나 보다 생각했다. 나는 가만히 서서 귀를 기울였다. 그런데 그는 베란다 반대 방향으로 걷고 있었다. 내가 있는 집 안쪽으로, 부엌으로 오는 것 같았다. 잠시 후 의자 끄는 소리와 털썩 하는 소리가 들렸다. 부엌 문밖을 내다보니 그가 식탁 앞에 앉아 있었다. 그가 부엌 문 앞에 서 있는 나를 보았다.

"이젠 침대에서 먹을 필요 없어. 아직 기운이 없긴 해도 환자
는 아니니까."

나는 쟁반을 치우고 식탁에 저녁을 차렸다. 우리는 함께 식사
를 했다. 그가 식탁 한쪽 끝에 앉았고 내가 그 맞은편에 앉았다.
그는 대화를 이어 가려 노력했다.

"트랙터 모는 거 봤다. 베란다에 있었거든."

"그러셨어요?"

"햇볕이 따갑지 않던?"

"조금요. 많이 따갑진 않았어요."

"차양이 달린 트랙터도 있던데."

"그런 트랙터를 팔긴 해요. 아빠가 안 사셨어요. 햇볕을 쬐면
서 일하는 걸 좋아하셨거든요. 햇볕이 너무 강하다 싶으면 밀짚
모자를 쓰셨어요."

잠시 침묵이 흘렀고 우리는 침묵 속에서 식사를 했다.

"옥수수가 잘 자라더구나."

그는 날 칭찬하고 있었다.

"그럭저럭 자라요. 콩도 잘 자라고요."

"채소밭도."

우리는 밭에서 딴 시금치를 먹고 있었고, 며칠 후엔 콩도 먹
을 수 있을 것이었다.

그는 그런 식으로 대화를 이어 갔다. 연결되지 않는 대화였지만 나는 최대한 성의를 보였다. 심지어 갓 부화한 병아리 얘기도 했다. 덕분에 마음이 한결 편안해졌다. 아마도 그것이 그의 의도였을 것이다.

저녁 식사 후 나는 평상시처럼 설거지를 하고 마루를 닦았다. 너무 피곤해서 하품이 나왔다. 부엌에서 나오니 그가 아직 방으로 들어가지 않고 있었다. 이제 자기가 더 이상 환자가 아니라고 생각하는지 거실 의자에 앉아 있었다. 아직 밖이 그다지 어둡지 않은데도 램프까지 두 개 켜 놓고서.

"내가 아플 때 네가 해 주었던 거 기억하니?"

나는 흠칫 놀랐다. 또 내 손을 잡으려는 걸까.

"어떤 거요?"

"책 읽어 주었잖아. 적어도 한 번은. 아주 오랫동안 읽던데."

나는 안도했다. 책 얘기라면 할 수 있었다.

"기억나요."

"또 해 줄 수 있니?"

"지금요?"

"응."

"뭘 읽어 드릴까요?"

별로 내키진 않았다. 너무 피곤하기도 했고 왠지 어색하기도 했다. 책을 읽을 줄 알면서 왜 책을 읽어 달라는 건지 알 수 없었다. 하긴, 여가 시간에 서로에게 책을 읽어 준다는 가족 얘기도 들어 본 것 같았다. 어쩌면 그리 이상한 일이 아닐 수도 있었다.

"아무거나. 전에 읽어 주었던 것도 좋고."

"그건 시집이었어요."

"상관없어. 듣고 싶어. 다른 거 읽고 싶으면 다른 거 읽어도 돼."

솔직히 아무것도 읽고 싶지 않았지만 나는 거절을 잘 못하는 편이다.

결국 나는 한 시간 이상 그에게 책을 읽어 주었다. 그레이의 「묘반의 애가」를 다시 읽었고 그걸 다 읽은 후엔 제인 오스틴의 『오만과 편견』 앞부분을 읽었다.

30분 정도가 지났을 때 나는 그가 전혀 듣지 않는다는 걸 알았다. 제인 오스틴을 읽던 중에 알게 된 사실이었다. 너무 피곤해서 한 번에 두 쪽을 넘겨 버리는 바람에 17쪽에서 20쪽으로 넘어갔고, 반 쪽 정도를 읽은 뒤에야 내가 보나벤처 씨와 그의 재산에 관한 대목을 완전히 건너뛰어 버려서 내가 읽은 내용이 전혀 앞뒤가 연결되지 않는다는 사실을 깨달았다. 그에게 상황을 설명하고 다시 18쪽으로 돌아가려다가 그가 전혀 알아차리지 못했다는 생각이 들었다. 그래서 계속 읽었다.

듣지도 않을 거라면 왜 읽어 달라 했을까. 나는 당혹스러웠고 걱정이 되었다.

뭔가 잘못됐다는 생각이 들었다. 그는 내게 일종의 속임수를 쓰고 있었다. 그런 생각이 그 어느 때보다도 나를 긴장하게 했고, 심지어 두렵게 했다. 그러다가 어느 순간 그런 생각을 하는 나 자신에게 화가 났다. 괜한 걱정을 지어 내고 있다고 나 자신을 나무랐다. 비록 그가 열심히 듣진 않았지만 그저 내가 책을 읽어 주길 원한 게 아니었다고 단정할 이유는 없었다. 사람의 목소리는 마음을 편안하게 해 주니까. 자신의 정적인 생활이 따분하고 불안했을 것이다. 그가 좀 더 걸을 수 있고 많은 일을 할 수 있게 되면 나아질 거라 생각했다. 내가 인내심을 길러야겠다고도.

# 열여덟

6월 30일 (이어서)

그렇게 나 자신을 타일렀건만 내 생각대로 일이 풀리진 않았다. 나는 여전히 불안했고 사실 그다음 날 밤 일어난 일은 더 나빴다. 그는 내게 피아노를 연주해 달라고 부탁했다.

이번에도 그는 램프 두 개를 밝혀 놓고 거실에 있는 아빠 의자에 앉아 있었다. 피아노를 치는 건, 그가 들을 게 확실하고 그가 내 피아노 연주를 좋아한다는 걸 알기 때문에 책 읽는 것보단 낫다고 생각했다. 물론 피아노는 기술을 요하는 일이었다. 그러나 (이번에도) 그게 문제가 아니었다. 첫째, 나는 피곤했고, 피아노 연주는 책 읽기보다 힘이 드는 일이었다. 둘째, 나는 그

195

에게 등을 보이고 앉아야 했고 이유는 알 수 없었지만 그 점이 불안했다.

그가 뒤에서 몰래 다가올 것 같아서였을까? 그러진 않을 거라고 생각하면서도 나는 첫 곡 「클레멘티 소나티네」 연주를 마쳤을 때 어깨 너머로 한 번 돌아보고 싶은 마음이 굴뚝같았다. 나는 그의 기척을 들을 수 있도록 아주 작게 연주하려고 노력했다. 그런데 결과적으로는 아주 형편없는 연주가 되어 버렸다. 제대로 짚은 건반보다 잘못 짚은 건반이 더 많았다. 다음 곡은 좀 잘 쳐 보겠다는 생각에 (『톰슨 초급 피아노곡』에 들어 있는) 헬러의 「안단테」를 골랐다. 내가 외우는 곡이라 연주에만 집중했다. 꽤 긴 곡이었고 후렴구까지 꽤 잘 치고 있는데 그가 지팡이로 바닥을 찍는 소리가 들렸다. 날카롭게 두 번. 나는 도저히 참을 수가 없어서 의자에 앉은 채 몸을 휙 돌렸다. 그는 여전히 의자에 앉아 있었다.

"왜 그러니?"

"지팡이…… 지팡이 소리에 깜짝 놀랐어요. 전…….

나는 거기서 입을 다물었다. 내 생각을 그대로 말하고 싶지 않았다.

"지팡이를 놓쳤는데, 얼른 잡았어."

그가 말했다.

나는 돌아서서 다시 연주하려 했지만 손이 떨려서 도저히 연주를 할 수가 없었다. 그가 지팡이를 놓쳤을 것 같진 않았다. 지팡이는 의자 팔걸이에 걸쳐져 있었고 그는 그 위에 손을 올려놓고 있었다. 너무도 긴장이 되었다. 나는 힘겹게 연주를 하다가 결국 중간에서 멈추었다.

"죄송해요. 더 이상 못 하겠어요. 너무 피곤해요."

"벌써 피곤하다고?"

"하루 종일 일했잖아요. 그래서 그런가 봐요."

물론 그게 전부가 아니었고 그도 그 사실을 아는 것 같았다. 그는 일부러 지팡이로 바닥을 두드린 것 같았다. 내가 어떻게 하는지 보려고. 하지만 도대체 왜 그랬을까?

"할 일이 많긴 하지. 조만간 나도 거들 수 있을 거다. 그때 트랙터 모는 법을 가르쳐 다오."

그럴듯한 제안이었지만 잠자리에 들었을 때 그 말 때문에 잠이 오지 않았다. 아이러니였다. 어렸을 때 나는 밭에 나가 일하는 걸 좋아하지 않았다. 음식을 만들거나 가축 먹이 주는 걸 더 좋아했다. 그러나 나는 이제 들판에 혼자 나가 있을 때나 밭에서 일할 때, 트랙터를 몰 때 훨씬 더 기분이 좋다.


그다음 날 밤 그는 책을 읽어 달라고도, 피아노를 연주해 달라고도 하지 않았다. 평상시보다 저녁 식사가 일찍 끝났기 때문에 조금 의외였다. 전날 밤 내가 피곤하다고 해서 그런가 보다 생각했다. 저녁 식사가 끝나자 그는 아빠 의자에 앉지 않고 바로 방으로 들어가 버렸다.

설거지를 하고 난 뒤에도 여전히 환했고 저녁 바람이 상쾌해서 나는 파로를 데리고 산책을 나갔다. 바람 한 점 없었고 모든 게 고요했다. 아직 해가 떠 있는데도 벌써 골짜기의 황혼이 시작되고 있었다. 우리는 교회 쪽으로 천천히 걸었다. 집을 벗어나서 좋았고 마음이 편안해졌다. 파로도 같은 기분인지 이리저리 돌아다니지도, 쿵쿵거리지도 않고 아스팔트에서 발톱을 딸깍거리며 조용히 걸었다. 교회에 다다르자 나는 안으로 들어가지 않고 정문 앞에 있는 자그마한 흰색 베란다에 앉았다. 파로는 늘 하던 대로 계단에 앉아 머리를 내 발 위에 올려놓았다. 종탑 위에 까마귀 두 마리가 하루 일과를 마치고 지저귀며 둥지로 내려앉는 소리가 들렸다. 두세 마리 남짓한 아기 새의 높은 울음소리도 들렸다. 그중 한 마리는 내가 제대에서 주웠던 아기 새였을 것이다.

까마귀 소리가 잦아들자 하늘이 잿빛으로 변했고, 나는 일어나 집으로 향했다. 예전엔 해마다 이맘때 그 시간이 되면 쏙독새가 날아들곤 했다. 소나무 위에서 쏙독새 울음소리가 들려왔고 때로는 그 소리가 너무 커서 잠을 못 잘 정도였다. 그러나 이제 벌 한 마리가 날아가는 소리밖엔 들리지 않았다. 산등성이에 개똥벌레 몇 마리도 보였다. 올해 처음 보는 개똥벌레였다. 몇 마리라도 아직 살아 있는 게 다행이란 생각이 들었다.

집으로 가는 길을 반쯤 걸었을 때 어스름 너머로 흐릿하게 집의 윤곽이 보였다. 연못가를 지나치며 물고기가 수면에 잔물결을 일으키는지 보고 있는데, 무언가 움직이는 것이 내 시선을 끌었다. 나는 그 자리에 멈추어 서서 자세히 보았다. 루미스가 집에서 나와 수레 쪽으로 가고 있었고, 그 모습을 본 순간 나는 그가 무척 아팠을 때 총을 쏘았던 일을 떠올렸다. 이번에는 또렷한 정신으로 수레로 다가가고 있었고 지팡이도 보이지 않았다.

정확히 무얼 하는 건지 알 수 없었지만 그는 천천히 수레 주변을 맴돌며 두어 번 몸을 숙였고 어느 순간 멈추고 도로 쪽을 보았다. 그에게 내가 보일 것 같진 않았다. 나는 도로에서 벗어나 연못가에 서 있었고 파로는 키 큰 풀숲에 가만히 앉아 있었다. 나는 꼼짝도 하지 않았다. 잠시 후 그는 돌아서서 집으로 향했고 난간에 의지하며 현관 계단을 조심스럽게 올라갔다. 아마도 안전복을 확인해 본 것 같았다. 지팡이를 짚고 있지 않은 건 확실했다.

나는 그가 집 안으로 들어가 문을 닫을 때까지 기다렸다가 다시 집 쪽으로 걷기 시작했지만 왠지 아직은 돌아가고 싶지가 않았다. 그래서 나는 도로 옆 둔덕에 앉아 개똥벌레를 조금 더 바라보았다. 30분쯤 후 어둠이 완전히 내렸을 때 나는 집으로 돌아갔다. 집 안엔 불이 켜져 있지 않았다. 나는 곧장 내 방으로 가서 침대에 앉았다. 파로가 침대 위로 올라오더니 내 곁에 누워 곧바로 잠이 들었다.

나는 초에 불을 붙였고, 시계태엽을 감은 다음 가만히 앉아 내일 할 일들을 잠시 생각해 보았다. 산책을 해서 졸음이 왔지만 왠지 불안했다. 신발은 벗었지만 옷은 벗지 않기로 했다. 적어도 잠시 동안.

얼마 후 나는 칠흑 같은 어둠 속에서 눈을 떴다. 촛불이 다 탔고 파로가 으르렁거리고 있었다. 파로의 으르렁거림은 이내 짧게 낑낑거리는 소리로 바뀌었고 파로는 바닥에서 비틀거리다가 밖으로 뛰어나갔다. 파로가 무엇 때문에 놀랐는지 궁금했다. 그리고 잠시 후 알게 되었다. 루미스가 내 방에 들어와 있다는 걸.

아무것도 보이지 않았지만 그의 숨소리가 들렸다. 그리고 그 순간, 그 역시 내 숨소리를 들을 수 있으리란 생각이 들었다. 나는 숨을 참으려 했지만 그게 바보 같은 생각이란 걸 바로 깨달았다. 그는 내가 여기 있단 걸 이미 알고 있었다. 그래서 나는 평상시처럼 숨을 쉬려 애썼다. 떨지 않으려 애썼고, 내가 아직 자고 있다고 생각하고 그가 가 버리기를 바랐다. 그는 천천히, 그리고 조용히 움직였다. 내가 잠들었다고 생각하는 게 분명했다. 그러나 나는 지금처럼 잠이 확이 달아나긴 처음이었다.

그가 내 바로 옆, 파로가 있던 자리까지 다가왔다. 그의 손이 침대 가장자리를 더듬는 것이 느껴졌다. 그리고 갑자기 그의 두 손이 내 몸에 닿았다. 거칠다기보다는, 내가 한 번도 경험해 본 적 없는, 상상조차 하지 못했던 섬뜩하고도 집요한 손길이었다. 그의 숨소리가 점점 더 빨라지고 커졌다. 그는 그대로 돌아갈 생각이 없었고, 나는 그것을 또렷이 느낄 수 있었다. 마치 그가 입 밖에 내어 말한 것처럼 그가 무슨 짓을 하려는지 똑똑히 알 수 있었다. 그의 한 손이 내 얼굴을 스치고는 내 어깨를 침대로 억세게 밀어붙였다. 바로 그 순간 나의 연기는 끝났다. 나는 옆으로 몸을 굴려 바닥으로 뛰어내린 뒤 문 쪽으로 뛰었다. 그 바람에 그가 침대 위로, 내가 누웠던 자리로 쓰러졌다.

그의 다리에 걸려 넘어졌다가 미처 중심을 잡기도 전에 그의 손이 어둠 속에서 내 발목을 움켜잡았다. 손힘이 대단했다. 그가 발목을 잡고 날 끌어당겼고, 무언가를 움켜쥐려는 나의 손가락은 매끄러운 바닥에서 미끄러졌다. 그의 다른 손이 내 셔츠 뒷자락을 잡았다. 나는 다시 몸을 앞으로 홱 뺐다. 셔츠가 찢어졌고 그의 손톱이 내 등에 닿았다. 나는 팔꿈치로 있는 힘을 다해 그를 쳤다.

운 좋게도 나는 그의 목을 쳤다. 헉 하는 소리와 함께 그의 거친 숨소리가 잠시 멈추었다. 내 발목과 셔츠를 잡고 있던 그의 손에서도 힘이 빠졌고 나는 순식간에 문밖으로 뛰어나갔다. 등 뒤에 셔츠 자락을 펄럭이면서.

# 열아홉

6월 30일 (이어서)

그날 밤 나는 더 이상 잠을 자지 않았다. 집을 나온 뒤로 나는
달렸고, 어디로 갈지 생각하지 않았고, 어디로 가든 상관없었다.
그저 내가 갈 수 있는 한 멀리 가고 싶었다. 그러다 보니 어느 순
간 슈퍼마켓과 교회 쪽으로 달리고 있었다. 그가 따라오는 소리
는 들리지 않았지만 단정할 순 없었다. 내 심장 박동 소리가 귓
가에 크게 울렸기 때문이다. 처음 1분에서 2분 정도는 최고 속도
로 달린 것 같았다. 그러고 나서 속도를 늦추며 뒤를 돌아보았
다. 달도 없는 밤이었지만 하늘은 맑았고 길이 또렷하게 보였다.
그의 모습은 보이지 않았다. 나는 속도를 늦추고 종종걸음으로

연못을 지난 다음 슈퍼마켓에 이르러서야 건물을 등지고 길이 보이는 곳에 앉았다.

그가 뛸 수 있을 것 같진 않았지만 확신할 순 없었다. 지팡이 없이 걸을 수 있을 거라고도 상상하지 못했으니까.

나는 한 시간 이상 앉아서 숨을 고르며 떨지 않으려 애썼다. 파로는 보이지 않았지만 녀석이 어디 있는지 나는 알았다. 파로는 현관 밑에 숨어 있었다. 녀석이 늘 하는 짓이었다. 사람들 사이에서 큰소리가 나면, 예를 들어 엄마나 아빠가 조지프나 데이비드나 날 야단칠 때면 파로는 얼른 분위기를 파악하고 숨어 버렸다. 파로는 그런 소란을 싫어했다. 만약 파로가 그 방에 없었다면, 그래서 나를 제때 깨우지 않았다면 무슨 일이 일어났을까.

잠시 후 갈증이 났고 몹시 추웠다. 싸늘한 한 줄기 바람이 스치는 순간 동굴에 있는 담요 생각이 났다. 찢어진 셔츠 위에 담요를 덮으면 좋을 거란 생각이 들었다. 동굴 입구에 앉아 집을 지켜보면 될 텐데. 그때부터 나의 뇌가 다시 작동하기 시작했다. 적어도 아주 조금은. 그제야 내가 신발을 신지 않았고 동굴에 옷이 없다는 데 생각이 미쳤다. 옷가지들을 집으로 가져갔기 때문이다. 그래서 슈퍼마켓에 온 김에 새 옷을 챙겨 두는 편이 나을 것 같았다. 그가 집에 있는 한 어쩌면 나는 다시 집으로 돌아가지 않을 수도 있었고, 그렇게 되면 새 옷이 필요할 것이었다.

슈퍼마켓 내부는 칠흑처럼 어두웠지만 나는 클라인 씨가 성낭을 놓아두는 장소를 알았다. 그곳엔 초도 있었다. 나는 더듬거리며 초에 불을 붙였다. 의류 코너는 매장에 들어서서 오른쪽 뒤편이었다. 나는 내 사이즈의 운동화와 셔츠 두 장을 집었다. 하나는 면, 하나는 모직이었다. 신발을 신고 (너무 추워서) 모직 셔츠를 입은 다음 막 단추를 채우고 있는데, 문 쪽에서 쾅 소리가 났다. 나는 놀라 펄쩍 뛰었고 그 바람에 촛불을 쓰러뜨려 불이 꺼졌다.

그렇게 겁낼 필요가 없다는 걸 알면서도 겁이 났다. 나는 다시 떨기 시작했고, 어둠 속에 가만히 귀를 기울이고 서 있었다. 다른 소리는 들리지 않았다. 그 순간 생각이 났다. 문! 바로 그 소리였다. 문을 10센티미터 정도 열어 놓고 들어왔는데 바람에 문이 닫히는 소리였다. 나는 다시 초에 불을 붙였다. 손이 너무 떨려서 성냥으로 겨우 불을 붙였다. 문 쪽으로 가 보았더니 문이 닫혀 있었다. 그게 다였다. 그런데도 왠지 그곳에서 벗어나고 싶었다. 난 그런 겁쟁이가 아니었는데.

밖으로 나오니 기분이 한결 나았다. 나머지 셔츠 한 장을 들고 (불을 끈 초를 주머니에 넣고) 연못으로 향했다. 연못으로 흘러드는 개울에서 물을 떠 마시고 잠시 쉬었다. 물과 반짝이는 별들을 제외하면 그 어떤 움직임도 없었다. 그런데도 왠지 내가 위험한 상황에 처한 것만 같았다.

나는 계속 걸었다. 지난 몇 주 동안 동굴에 가지 않았었다. 초

204

를 켜 보니 모든 게 내가 남겨 둔 그대로였다. 나는 담요를 어깨에 두르고 늘 앉던 동굴 입구에 앉았다. 그곳에선 바위에 기대어 집을 내려다볼 수 있었다.

어둠 속에서 집은 앞뜰과 나무들과 덤불들이 이룬 흐릿한 풍경의 일부일 뿐이었다. 불이 켜진 창문은 하나도 없었다.

나는 밤새 그 자리에 앉아 지켜보았다. 물론 그는 내가 어디 있는지, 동굴이 어디 있는지, 동굴이라는 게 있는지조차 모르는 게 분명했다. 그가 산비탈을 올라올 수 있을 것 같지도 않았다. 그래도 나는 계속 지켜보았다.

아침이 되자 산 아래 펼쳐진 풍경이 서서히 형체와 색을 찾아가기 시작했다. 잎사귀들은 엷은 잿빛이 되었다가 초록빛이 되었다. 집은 흰색이 되고, 길은 검은색이 되고, 내 뒤쪽 산봉우리는 점점 더 환해졌다. 동굴 안에 쌍안경이 있었다. 문득 그가 앞으로 어떻게 할지 알아내는 게 중요하단 생각이 들었다. 그는 내가 어디 있는지 몹시 궁금할 게 분명했다.

가장 먼저 나타난 건 파로였다. 파로는 머뭇거리며 집 밖으로 나와 킁킁거리기 시작했다. 파로는 집을 한 바퀴 돌고 텐트로 가서 다시 텐트를 한 바퀴 돌고는 도로 쪽으로 나갔다. 여전히 코를 땅에 박고서. 파로는 나의 체취를 쫓고 있었다.

잠시 후 루미스가 나타났다. 아마도 창문으로 파로를 지켜보고 있었나 보다. 그가 도로 가장자리를 따라 조금 절뚝거리면서,

그러나 지팡이는 짚지 않고 파로를 따라갔다. 몇 걸음을 걷다가 잠시 멈추어 서서 생각에 잠겼다. 그리고 다시 집으로 돌아갔다. 그것으로 나는 몇 가지를 짐작할 수 있었다. 그는 내가 어느 방향으로 갔는지 듣지도, 보지도 못했다. 그러나 파로가 날 쫓으리란 건 알았다. 그래서 그를 안에서 지켜보고 있었다.

정신이 없는 와중에도 곧장 동굴로 가지 않고 도로 쪽으로 달려 나갔길 다행이었다. 파로가 어떻게 할지 나는 알았다. 녀석은 내 체취를 따라 슈퍼마켓까지 갔다가 거기서 다시 연못가로, 내가 앉았던 자리로 갈 것이다. 그러나 루미스는 집에서 그 광경을 볼 수 없을 것이다. 나는 파로가 움직이는 데 걸리는 시간을 거의 짐작할 수 있었다. 예상대로 10분쯤 뒤 꼬리를 흔들며 파로가 숲에서 달려 나왔다.

나는 녀석을 어루만져 주었다. 파로가 반가웠다. 그러나 그뿐이었다. 아래쪽 상황을 주시해야 했다. 파로는 내 곁에 10분 정도 있다가 동굴 안으로 들어가 킁킁거리고는 비탈을 내달려 집으로 향했다. 나는 매일 아침 파로에게 먹을 것을 주었고 지금은 아침을 줄 시간이었다. 그런데 현관 앞에 놓인 파로의 그릇은 비어 있었다. 파로는 내가 자기를 따라갈 줄 알았던 것 같다.

그제야 내가 동굴에서 밥을 주었어야 했다는 생각이 들었다. 동굴 안에는 고기 통조림이 몇 개 있었다. 정확히 세 개 있었다. 그리고 파로가 몹시 배가 고플 때 먹일 감자 통조림도 있었다.

그러나 파로가 떠난 뒤에야 그 생각이 났다. 파로가 아무 생각 없이 루미스를 내게 안내할 수도 있을 거란 사실도 그제야 깨달았다. 만약 내가 먹이를 주고 파로를 곁에 붙여 두었으면 그런 일을 막을 수도 있었을 거란 것도.

몇 분 뒤 파로가 집 앞뜰에 들어섰고 루미스가 음식이 가득 담긴 그릇을 들고 나왔다. 그가 그릇을 내려놓자 파로가 달려들어 먹기 시작했다. 루미스는 손에 무언가를 들고 있었다. 쌍안경으로 보니 벨트 같았다. 데이비드나 조지프의 벨트. 그는 벨트를 짧게 잘라 파로가 밥을 먹는 동안 파로의 목에 감고 버클을 조였다.

파로는 그다지 개의치 않는 것 같았다. 녀석은 몸을 한두 번 부르르 떨더니 다시 먹는 데 열중했다. 루미스는 현관 쪽으로 가서 무언가를 또 가져왔다. 처음엔 밧줄인 줄 알았는데 밝은 초록색인 걸 보니 아니었다. 긴 전선이었다. 엄마가 쓰던 진공청소기의 연결선이었다. 그는 전선을 파로의 목을 감은 벨트에 통과시킨 뒤 매듭을 지었다. 그리고 줄 한쪽 끝을 베란다 난간에 묶었다.

가엾은 파로. 파로는 한 번도 줄에 묶여 본 적이 없었다. 파로는 그릇을 비우고 나서 다시 한 번 몸을 떨고는 목줄을 풀어 보려 애쓰다가 걷기 시작했다. 줄이 당겨지면서 고개가 뒤로 젖혀지자 파로가 넘어졌다. 파로는 일어서서 다시 몸을 떨었고 다시 한 번 멀리 달아나려 했다. 그러다가 뒷걸음질을 치면서 목줄에서 벗어나려 애썼다. 루미스는 잠자코 지켜보다가 결국 파로가 빠져나가지 못하리라는 확신이 들자 돌아서서 집 안으로 들어갔다.

파로는 개의 본능에 충실하게 그대로 주저앉아 전선을 갉아먹기 시작했다. 두꺼운 플라스틱으로 코팅한 굵은 전선이라 30분 넘게 갉아도 파로의 이가 감당하기 벅찼다.

파로는 그제야 낑낑거리며 울기 시작했다. 강아지였을 때 이후로 한 번도 들어 본 적 없는 울음소리였다. 금방이라도 달려가 줄을 풀어 주고 싶었지만 물론 그럴 수가 없었다.

나는 가만히 앉아 지켜보았다. 이제 어떻게 해야 할까. 앞으로 어떤 일이 일어날까. 날마다 내가 해야 하는 일들도 생각해 보았다. 젖 짜기, 닭 모이 주기, 달걀 거두기, 잡초 뽑기. 동굴에 살면서 그와 거리를 유지하면서 내 할 일을 계속하는 게 가능할까? 밖에서 하는 일들은 할 수 있을 것 같았다. 그러나 음식은 만들 수 없을 것이다. 그러려면 집에 들어가야 할 테니까. 루미스는 혼자 음식을 해 먹어야 할 것이다. 슈퍼마켓에서 내가 생필품을 날라다 주어야 할까? 그는 아직 혼자서 그렇게 멀리 걸을 수 없을 것 같았다. 그가 내게 무슨 짓을 했건 그를 굶길 수는 없었다.

어떤 식으로든 타협점을 찾아야 했다. 비록 친구로 지내진 못하더라도 우리 둘 다 골짜기에 살 수 있는 방법을 찾아야 했다. 공간은 충분했고, 그가 그 집에서 살아도 상관없었다. 나는 슈퍼마켓이나 교회에서 살아도 되니까. 필요한 일은 기꺼이 할 것이다. 그렇게 우린 서로를 건드리지 않고 떨어져 지낼 수 있을 것이다.

다만, 나는 기꺼이 그럴 수 있는데 그도 같은 생각인지가 문제였다.

그러나 어쨌든 노력은 해 봐야 했다. 적당한 거리를 유지하면서 그와 얘기해 봐야지. 잠이 들 무렵 나는 무슨 말을 어떻게 할지 생각해 보았다.

나는 오후 늦게 잠에서 깼다. 목이 아프고 뻣뻣했고, 배가 고팠다. 비축해 놓은 식량이 많지 않았지만 그래도 통조림 하나를 따서 차가운 상태로 먹었다.

다음 할 일은 불 피울 장소를 찾는 것이다. 낮에 피워 연기를 눈에 안 띄게 할지, 밤에 피워 불길이 안 보이게 할지 결정해야 한다. 아무래도 밤이 나을 것 같다.

# 스물

**7월 1일**

저녁 식사 후, 동굴.

루미스가 파로를 이용해 날 잡을 작전을 짜고 있다. 어제 오후 늦게, 그가 쟁반에 음식을 담아 들고 나왔다. 파로는 낑낑거리다가 베란다 앞 풀밭에서 몸을 웅크린 채 잠이 들었다. 루미스는 그에게 바로 먹을 걸 주지 않았다. 그는 베란다에 묶어 놓았던 전선을 풀어 마치 올가미처럼 손에 칭칭 감고는(길이가 7미터 정도였다.) 파로를 끌고 도로 쪽으로 나갔다.

끌려 다니는 데 익숙지 않은 파로는 처음엔 달아나려 애쓰며 고생을 했지만 매번 다시 끌려왔다. 그러나 이내 상황을 파악하고 곧 순하게 쫓아갔다. 파로는 다시 내 행로를 추적하고 있었다. 다만 이번엔 루미스를 끌고서.

그들은 길을 따라 대략 50미터 정도만 함께 걸었다. 그러고는 다시 집 쪽으로 돌아섰다. 이번에도 루미스는 다리를 약간 절고 있었다. 그러나 그 몇 미터를 걷는 동안, 내가 얼마나 큰 실수를 저질렀는지, 루미스가 왜 파로를 묶었는지 똑똑히 알 수 있었다. 파로의 목에 줄을 맨 상태로 추적 훈련을 시키면 루미스는 언제든 날 잡을 수 있었다. 아직은 그럴 수 없겠지만 그가 좀 더 걸을 수 있게 되면 얼마든지 잡을 수 있었다.

루미스는 내가 자길 지켜보고 있단 걸 아는 것 같다. 그보다 더 나쁜 건, 심지어 내가 자길 지켜보길 바라는 것 같다는 것이다. 나는 갑자기 구역질이 났다. 우리는 마치 체스를 하듯 번갈아 말을 놓는 게임을 하고 있었다. 내가 원하지 않는 게임이다. 루미스가 원하는 게임이고 루미스만이 이길 수 있는 게임이다.

루미스는 파로를 묶고 먹이를 준 다음 다시 도로 쪽으로 나가서 그들이 걸었던 길과 슈퍼마켓 쪽을 바라보았다. 그곳에서 별다른 징후를 찾지 못하자 천천히 돌면서 시야에 들어오는 골짜기 전체를 차근차근 훑었다. 어느 한 순간 그가 똑바로 날 쳐다보는 바람에 나는 쌍안경을 내리고 도로 동굴로 들어가고 싶은 충동을 느꼈다. 그러나 그가 날 볼 수 없단 걸 나는 알았다. 그의 시선이 나를 스쳐 지나갔다. 그는 그렇게 한 바퀴를 빙 돌고 나

211

서 집으로 들어갔다.

나는 동굴에 남아 있는 것들을 살펴보았다. 종이 봉지에 담긴 옥수수 가루 몇 그램, 소금 약간, 고기 통조림 세 개, 콩 통조림 세 개, 완두콩 통조림 하나, 옥수수 통조림 하나. 내가 가진 식량 전부였다. 넉넉한 양은 아니었다. 총 두 자루와 각각의 총에 맞는 탄약 한 상자씩도 있었다. 침낭 하나, 베개 하나, 담요 두 장도 있었다. 그러나 슈퍼마켓에서 가져온 셔츠 말고는 여벌옷이 없었다. 냄비, 프라이팬, 접시, 컵, 나이프, 포크, 양초 두 개, 램프 하나, 등유 3.5리터. 고등학교 영어 교재였던 『영미 명단편집』. 3.5리터들이 주스 세 통에 담은 물도 있었다. 그러나 이미 동굴 안에 몇 주째 두어서 물은 상했을 수도 있었다. 나는 어두워지면 물을 버리고 개울에 가서 새로 떠 오기로 했다.

해가 저물고 있었고, 완전히 어둠이 내리기 전에 불 지필 궁리를 해야 한단 생각이 들었다. 내가 생각했던 방법은, 아주 높진 않더라도 동굴 근처에 일종의 벽을 세워서 집 쪽에서 모닥불의 불길이 보이지 않도록 하는 것이었다.

생각보다 어렵지 않았다. 나는 비교적 평평한 장소를 찾았다. 동굴에서 위로 몇 미터 올라가니 선반처럼 생긴 곳이 있었다. 나는 나뭇가지로 땅을 후벼서 부드러워진 흙을 다시 손으로 파낸 다음 산 아래쪽 방향으로 작은 벽을 쌓았다. 흙을 파내 벽을 쌓다 보니 15센티미터 깊이의 구덩이가 생겼다. 세면대 크기 정도로, 음식을 조리할 불을 피우기에는 충분한 넓이였다. 흙으로 쌓은 벽이 불길을 전부 가리기엔 너무 낮아서 해가 질 때까지 벽돌 크기의 돌을 주워 그 위에 쌓아 올렸다. 이 정도면 됐다 싶었을 때 주위를 둘러보니 어두워져서 불을 지필 수가 없었다. 내일 불을 지펴야겠다고 생각하고 차가운 콩으로 저녁을 때웠다.

식사를 하고 나서 물통 두 개를 들고 개울로 나가 맑은 물을 담았다. 숟가락을 닦고 얼굴과 손도 닦았다. 낮잠을 잤는데도 무척 피곤했고 자꾸만 하품이 나와서 오늘 밤엔 깨어 있지 못하리란 걸 알았다. 곤히 잠들면 위험하다는 생각이 들면서 나도 모르게 흠칫 놀랐다. 나는 조심하기 위해 동굴에서 자지 않기로 했다. 좁은 출구가 하나뿐인 동굴은 덫이나 마찬가지였다.

나는 침낭과 담요를 챙겨 들고 불을 피우기 위해 세운 벽으로 향했다. 구덩이 앞에 딱 몸을 뻗어 누울 정도의 공간이 있었다. 바닥이 울퉁불퉁했지만 상관없었다. 나는 곧바로 잠이 들었고 아침 햇살이 눈을 찌를 때 잠에서 깨어났다.

나는 일어나 세수를 하고 식사를 한 다음(어젯밤 먹고 남은 콩을 먹었다.) 침낭을 다시 동굴에 가져다 놓고 집으로 향했다. 물론 먼 길을 돌아 연못을 지나고 슈퍼마켓으로 갔다가 내가 나갔던 도로를 따라 돌아오는 척했다. 내가 어디 있는지 그에게 알려 주고 싶지 않았다.

집으로 가까이 다가갔을 때 아무 기척도, 움직임도 없었다. 텐트는 앞뜰에 있었고 초록색 덮개를 씌운 수레가 그 옆에 있었다. 파로는 어디 있는지 궁금했다. 밖에 묶여 있을 거라고 생각했지만 보이지 않았다. 나는 집 앞에 잠시 서서 기다렸다. 더 가까이 갈 생각은 없었다.

오래 기다릴 필요는 없었다. 곧바로 현관문이 열리더니 루미스가 베란다로 나왔다. 그는 안에서 날 보고 있었다. 그가 계단을 내려와 계단 끝에 섰다.

"돌아올 줄 알았다."

그가 말했다. 그리고 잠시 후 덧붙였다.

"돌아오길 바랐어."

나는 잠시 멍해져서 무슨 말을 해야 할지 생각이 나지 않았다. 그는 미안해했고 다시 친구가 되려 하고 있었다. 그러나 나는 그날 밤의 충격을 잊을 수가 없었고, 다시는 그를 믿을 수 없으리란 걸 알았다.

"아뇨, 돌아온 건 아니에요. 돌아오진 않을 거예요. 하지만 얘기를 해야 할 것 같아서 왔어요."

"돌아오지 않는다고? 왜? 어디 있으려고?"

지난번과 똑같았다. 내 손을 잡으려고 해서 내가 그를 쳤을 때도 그랬다. 그는 아무 일도 일어나지 않은 척, 다 잊은 척하고 있었다. 나는 생각했다. 어쩌면 루미스는 자기가 한 일을 실제로

214

잊어버리는 사람인지도 모른다고. 그러나 그럴 리가 없었다. 그는 잊지 않았다. 단지 그런 일이 일어나지 않은 척하는 것일 뿐이었다.

"있을 곳을 찾아봐야죠."

"도대체 어딜 간단 거냐? 여기가 네 집인데."

"그 얘긴 하고 싶지 않아요."

그가 어깨를 으쓱했다. 아무래도 상관없다는 듯이.

"좋을 대로. 그럼 왜 온 거지?"

"여기 있을 순 없지만 저도 살아야 하니까요. 아저씨도 그렇고요."

"그렇지. 난 어떻게든 살 생각이야."

호기심 어린 표정으로 날 쳐다보며 그가 말했다. 말을 하면서도 무언가를 생각하는 것 같았고, 생각하는 걸 그대로 말하는 것 같지 않았다.

"살기 위해선 관리해야 할 일들이 있잖아요. 곡식, 씨앗, 텃밭, 가축."

"물론. 그것 때문에 네가 돌아올 거라고 생각했어."

"절 내버려 두시면 그 일은 할게요. 물과 식재료도 가져다 드릴게요. 요리는 직접 하세요. 부엌 선반에 요리책이 있어요."

"그리고 넌 밤에 다른 데로 가겠다고? 어디로?"

"골짜기 맞은편으로요."

215

그는 계속 뭔가 생각하고 있었다. 그가 슈퍼마켓 방향을 흘긋 보더니 다시 말을 이었다.

"나한텐 선택의 여지가 없구나. 네가 마음을 바꾸길 바라는 수밖에."

그리고 그가 잠시 멈추었다가 한마디 덧붙였다.

"어린애처럼 굴지 말고 어서 철이 들길 바란다."

"제 맘은 바뀌지 않아요."

그는 더 이상 말하지 않고 돌아서서 집으로 들어가 문을 닫았다. 나는 축사로 가서 도대체 그가 무슨 꿍꿍이일까 생각해 보았다. 그는 아마도 작전을 짜는 것 같았다. 나와 얘기하면서 그는 그동안 몰랐던 것, 그러나 알아야 하는 것들을 알게 되었다. 내가 집으로 돌아오지 않으리란 것. 내가 계속 농장 일을 하리란 것. 내가 그에게 물과 식재료를 가져다주리란 것. 그러니까 그런 사실들을 바탕으로 작전을 짤 것이었다. 하지만 어떤 작전일까. 어쩌면 내 제안을 그저 받아들이고 날 가만히 내버려 둘 수도 있었다.

그러나 그럴 것 같진 않았다. 그러기엔 내가 어디 머무는지 너무 궁금했을 것이다. 더구나 그는 파로를 묶어 놓았다.

우리가 얘기하는 동안 파로는 어디 있었을까? 보이지도, 들리지도 않았다. 아마도 집 안에 묶어 둔 모양이었다. 행여라도 내가 줄을 풀어 파로를 훔쳐갈 거라고 생각했던 걸까? (에드워드가 안전복을 훔쳐갔던 것처럼?) 생각이 거기에 미친 순간, 그리고 실제로 파로를 훔치는 상상을 하는 순간 아주 끔찍한 사실을 깨달았다. 루미스가 지금 무슨 일을 꾸미고 있건 결국 그가 원하는 건 날 파로처럼 집 안에 묶어 두는 것이란 사실이었다.

나는 그런 생각을 애써 떨쳐 내고 소젖을 짰다. 송아지는 이제 거의 젖을 떼었고 내가 일곱 번쯤 젖 짜는 일을 걸렀기 때문에 젖이 더욱 빨리 말라 가는 것 같았다. 힘껏 짰는데도 2리터 정도밖에 나오지 않았다. 헛간 벽에는 우유 통들이 가지런히 걸려 있었다. 나는 그중 두 통에 우유를 똑같이 나누어 담고 하나를 베란다에 가져다 놓았다. 닭 모이를 주고 달걀을 모아 네 개씩 나누었다. 텃밭에서 딴 콩과 상추, 시금치도 베란다에 반을 놓았다. 내 몫을 담기 위해 삼베 자루를 가져왔지만 한 귀퉁이만 겨우 채웠다.

어쨌든 나는 아침에 늘 하던 일을 했고, 그는 날 건드리지 않았고 베란다에도 나오지 않았다. 부엌 창문으로 지켜보고 있을 것만 같아서 쳐다보았지만 보이지 않았다.

정오 무렵, 그에게 식료품을 가져다주기 위해 슈퍼마켓에 갔다. 나는 거기서 점심을 때웠다. 선반 위에 있는 통조림 한 개를 49센트짜리 따개로 열어 먹었다. 슈퍼마켓에서 가져온 식료품을 베란다에 놓을 때 보니 부엌 굴뚝에서 연기가 피어올랐고 우유, 달걀, 채소가 보이지 않았다. 그는 점심을 준비하고 있었다.

217

두 가지를 머릿속에 정리해 두었다. 내가 앞으로도 계속 식료품을 챙겨다 주어야 한다면 뭐가 필요한지 그가 미리 알려 주어야 한다는 것. 물이 필요하면 빈 물통 하나를 문 앞에 놓아야 한다는 것.

옥수수 밭과 콩밭 사이로 트랙터를 몰고 다니다가 4시가 되자 다시 슈퍼마켓으로 갔다. 적어도 오늘만큼은 계획대로 순조롭게 진행되었다고 슈퍼마켓으로 가는 길에 생각했다. 어딘가 부자연스럽고 불안한 건 사실이지만 내일도, 모레도, 그리고 그 다음 날도 이런 일상이 반복된다면 지금보단 두려움이 덜해질 것이었다. 나는 조금이나마 희망을 되찾았다. 흙벽을 제대로만 세우면 해가 진 뒤에 불을 지펴 따뜻한 음식을 조리할 수 있었다. 배가 무척 고팠다.

나는 동굴에 식량을 비축하기 위해 슈퍼마켓에 들렀다. 삼베 자루를 들고 왔기 때문에 달걀 네 개를 꺼내 놓고 자루를 가방 삼아 이것저것 챙기기 시작했다. 다양한 고기 통조림과 야채 통조림, 수프 통조림, 그리고 밀가루 한 봉지를 넣었다. 그리고 달걀은 갈색 종이에 싸서 맨 위에 올렸다. 텃밭에서 거둔 채소도 있고 한 손으로는 우유 통을 들어야 했기 때문에 내가 들 수 있는 양은 그 정도였다. 나는 매일 조금씩 더 챙겨서 식량을 비축해야겠다고 생각했다.

나는 식료품을 동굴에 내려놓고 서둘러 움직였다. 해가 남아

218

있을 때 벽을 완성해야 했다. 내가 고른 장소가 볼수록 마음에 들었다. 이곳과 집 사이에는 덤불도 많고 나무도 꽤 여러 그루가 있었다. 여기선 집이 보이지 않기 때문에 조금만 조심하면 불길을 가릴 수 있을 것 같았다. 나는 돌멩이를 더 쌓고 흙과 이끼로 그 틈을 메웠다. 반 시간쯤 후, 꽤 근사한 벽난로를 만들 수 있었다. 산 중턱에 45센티미터 높이의 돌벽이 세워졌다. 15센티미터 깊이의 구덩이 안에 불을 지피면 60센티미터 이하의 불꽃은 보이지 않을 것이다. 그 정도면 충분할 것 같았다. 나는 장작으로 쓸 마른 나뭇가지를 주워 모았다.

어두워지기를 기다리면서 집 쪽을 내려다보았다. 루미스가 파로를 줄에 묶어 데리고 나왔지만 이번에는 도로 쪽으로 나가지 않고 집 뒤쪽으로 왔다. 처음에는 그의 의도를 이해할 수 없었지만 그의 모습을 지켜보고 있자니 그제야 알 것 같았다.

지난번에 도로 쪽으로 나갈 때, 파로는 분명히 나의 냄새를 추적하고 있었고 루미스는 자기가 날 쫓고 있다고 생각했다. 지금 그는 다시 한 번 확인하고 있었다.

나는 더 자세히 보려고 쌍안경을 꺼냈다. 집 뒤쪽으로 가자 파로는 코를 땅에 박으며 루미스를 텃밭으로 이끌었다. 내가 갔던 곳이다. 그러고 나서 다시 헛간으로 갔다. 거기도 내가 갔던 곳이다. 파로는 자기가 무얼 해야 하는지 알았고, 하루 종일 창문으로 나를 관찰했던 루미스는 파로가 냄새를 제대로 추적한다는 걸 확인한 셈이었다.

파로는 마지막으로 내가 있었던 장소로 루미스를 이끌었다. 밭일을 하고 나서 내가 트랙터를 세워 둔 자리였다. 루미스는 거기서 멈추어 섰다. 그가 헛간 문을 열고 안으로 들어가더니 뭔가 생각났다는 듯 나와 파로의 줄을 문손잡이에 걸어 놓고 다시 안으로 들어갔다.

내 시야에서 벗어나긴 했지만 그가 안에서 무얼 하는지 바로 알 수 있었다. 5분 정도 지난 뒤 트랙터 시동이 걸리는 금속성의 핑음과 함께 엔진 소리가 들려왔다. 헛간 안에서 나는 소리라 한결 약하게 들렸다. 1분 뒤 소리가 더 커졌고 뒷바퀴가 먼저 보이더니 천천히 트랙터가 후진해서 나왔다.

내가 알기로 루미스는 한 번도 트랙터를 몰아 본 적이 없다. 그래서 5분이 필요했을 것이다. 그러나 차를 몰아 본 사람에게 5분은 트랙터 운전법을 익히기에 충분한 시간이다. 클러치, 가스, 브레이크 페달이 똑같고 기어 작동도 비슷하다. 1단, 2단의 전진 기어와 후진 기어가 1, 2, 그리고 R로 선명하게 인쇄되어 있다.

루미스는 후진으로 트랙터를 헛간 밖으로 몰고 나온 뒤 다시 전진 기어로 바꾸어 작은 원을 그리며 한 바퀴 돌았다. 그러고는 기어를 중립에 놓고 소리를 확인해 보려는 듯이 엔진을 공회전시켰다. 그는 앞으로 갔다가 다시 후진으로 헛간 안으로 들어가서 시동을 껐다.

그가 문에 묶었던 파로의 줄을 풀었다. 파로는 내 체취를 쫓아 다시 슈퍼마켓 쪽으로 향했지만 내가 그쪽으로 갔단 걸 이미 아는 루미스는 파로를 끌고 안으로 들어갔다. 날이 어두워지고 있었다. 잠시 후 부엌 창문에 불이 밝혀졌다. 그가 음식을 하고 있다면 굴뚝으로 연기가 나올 것이다. 그러나 황혼 속에서 연기는 보이지 않았다. 내가 그의 연기를 볼 수 없다면 그도 나의 연기를 볼 수 없을 것이었다. 나는 장작을 모으고 불을 지폈다. 작지만 음식을 조리하기에 충분한 불길이었다. 그러고 나서 나는 집이 있는 방향으로 산비탈을 반쯤 내려갔다.

그리고 거기서 황혼이 완연한 어둠으로 바뀔 때까지 기다렸다. (그가 집 밖으로 나오는지 살피며) 집과 내 모닥불을 번갈아 확인해 보면서. 흙벽은 성공적이었다. 불꽃도 불빛도 전혀 보이지 않았다. 유일한 위험 요소가 있다면 이따금 터지는 불꽃이었다. 불꽃이 튀는 건 조심해야 했다. 나는 다시 산을 올라가 몇 분 뒤 통조림 햄, 옥수수빵, 콩, 스크램블에그로 저녁을 먹었다. 배가 너무 고팠다.

식사를 마치고 나니 피곤해져서 개울로 나가 설거지를 하려다 말고 그냥 앉아서 이 일기를 쓰고 있다.

차라리 루미스가 이 골짜기에 오지 않았더라면. 그땐 아무도 없어 외로웠지만 그래도 지금보단 나았다. 그가 죽길 바라는 건 아니지만 그가 우연히 다른 길로 가서 다른 골짜기를 찾았으면 좋았을 거란 생각이 든다. 문득 궁금해진다. 또 다른 생존자가 있을까? 그는 연구소를 떠나 남쪽으로 왔고 여기서 더 멀리 가진 않았다. 이곳 같은 골짜기가, 화를 면한 골짜기가 또 있을까? 이것보다 훨씬 더 큰, 그래서 두 명, 세 명, 혹은 대여섯 명이 살아남은 골짜기가 있을까? 물론 아무도 없을지도 모른다. 그러나 루미스가 다른 길로 갔더라면 그들 중 한 명을 찾았을 수도 있지 않을까?

가능한 얘기다. 부모님은 지극히 제한된 곳만을 여행했다. 몇 킬로미터, 다만 5킬로미터 정도만 나가도 또 다른 골짜기가 있을지도 모른다. 그곳에도 자기가 혼자라 생각하며 고립된 채 살아가는 사람들이 있을지도 모른다.

파로가 사라졌다 돌아왔던 날 나는 그동안 파로가 어디 있었는지 궁금했다. 다른 골짜기에서 살았던 건 아닐까? 녀석이 그곳에서 이곳을 왔다 갔다 할 수도 있었을까? 알 길이 없다. 파로가 어느 방향에서 왔는지조차 나는 알지 못한다.

# 스물하나

**8월 4일** (아마도.)

끔찍한 상황이다. 몇 주 동안 일기를 쓰지 못했다. 그동안 아팠고 또 두려웠다. 그리고 계속 움직여야만 했다. 나는 지금 골짜기 남쪽 끝 틈새 부근의 서쪽 산봉우리에 있는 울창한 숲 속에 숨어 있다. 속이 빈 나무가 있어서 그곳에 내 물건들을 넣어 두었고, 비가 오면 나도 그 속으로 들어간다. 악몽과도 같은 나날이다. 그동안 무슨 일이 있었느냐 하면, 루미스가 나를 쏘았다!

열흘 정도 우리는 나름의 규율을 지켰다. 나는 아침에 내려가 젖을 짜고, 달걀을 거두고, 닭 모이를 주고, 텃밭을 가꾸고, 채소를 땄다. 농장에서 거둔 것들은 반으로 나누어 그의 몫을 뒤 베란다에 놓아두었다. 물이 필요하면 그가 물통을 내놓았고 나는 개울에서 물을 길어 왔다. 슈퍼마켓에서 식료품도 날랐다. 두 번인가 내가 달걀을 두고 돌아설 때 그가 베란다로 나와 필요한 게 있다며 알려 주었다. 소금이 떨어졌다든가, 식용유가 떨어졌다든가. 그 외엔 내가 알아서 가져다 놓았고 그는 내가 가져다 놓은 것들을 들여 갔다.

그러다가 불편한 일들이 생기기 시작했다. 나는 부엌이, 스토브가, 빨래 통이 아쉬웠다. 익어 가는 토마토들을 보고 있자니 장기 보관할 방법이 고민되었다. 헛간 근처에서 불을 지펴 토마토를 익히고 슈퍼마켓에 여러 개 있는 유리 단지에 담아 아빠의 작업대에 진열하면 어떨까 생각해 보았다. 우습게 들리겠지만 집 안 꼴도 걱정되었다. 그가 바닥을 쓸기는 할지, 빨래는 또 어떻게 할지, 필요하면 하긴 하는지. 나는 개울가에서 빨래를 했다.

해가 질 무렵, 두 번째로 젖을 짜고 나서 나는 동굴로 돌아갔다. 매번 도로로 나가서 슈퍼마켓에 들렀다가 동굴로 향했다. 한 번인가 두 번, 교회에 들른 적이 있었지만 일기를 거르듯 자주 걸렀다. 왠지 부담스럽게 느껴졌다. 이유는 알 수 없지만 교회는 평범한 생활을 할 때나 가는 곳이란 생각이 들었다. 가끔 기도하긴 했지만 낮 시간에 생각날 때만 했다. 성경은 집에 있어서 가져올 수가 없었다.

멀리서 이따금 볼 뿐 루미스를 거의 보지 못했다. 그도 다 포기하고 새로운 생활 방식을 받아들인 것처럼 보였지만 나는 절대 그럴 리가 없다고 확신했다. 그래도 나는, 물론 딱히 다른 방법이 없기도 했지만, 앞으로도 계속 이런 식으로 살 거란 듯 행동했다. 심지어는 겨울을 날 걱정도 했다. 장작을 팰 걱정도.

그는 매일 저녁 어두워지기 직전에 밖으로 나왔다. 매번 파로와 함께였다. 그 둘은 함께 걷는 연습을 했고 매번 조금 더 멀리 걸었다. (특히 루미스는 점점 더 빨리 걸을 수 있게 되었다.) 그렇게 며칠이 지났고 그는 새로운 방식을 시도하기 시작했다. 그는 파로를 줄에 묶지 않고도 곁에 둘 수 있었다. 녀석에게 말을 걸거나 낮게 휘파람을 부는 것 같았지만 내겐 들리지 않았다. 파로는 전에도 "바짝 붙어!"라는 말을 알아들었지만 총을 들고 있을 때만 그랬다.

서너 번은 트랙터를 몰고 나왔다. 그 시기의 막바지였는데, 한 번은 헛간을 한 바퀴 도는 것에서 멈추지 않았다. 앞뜰을 가로질러 집 쪽으로 갔다가 다시 도로로 나갔다. 그리고 거기서 기어를 올리고 버든 언덕 방향으로 속력을 냈다. 그는 언덕 꼭대기까지 최고 속도로 300미터 정도를 달렸다. 얼마나 빨리 달릴 수 있는지 시험해 보는 것 같았지만 이유는 알 수 없었다. 트랙터는 시속 25킬로미터에서 30킬로미터까지 달릴 수 있었다. 바람막이와 스프링이 없는 차치고는 꽤 빠른 편이었다.

열흘째 되던 날 아침(어쩌면 열두 번째, 혹은 열네 번째 날일 수도 있다.) 나는 일어나 아침 식사를 하고 내 물건들을 동굴로 가져갔다. 집 쪽을 내려다보고 있는데 뭔가 다른 점이 눈에 띄었다.

루미스가 밖으로 나와 서둘러 도로 쪽으로 나가더니 조심스럽게 주위를 살펴가며 슈퍼마켓으로 향했다. 그는 아스팔트로 포장된 길을 따라 걷지 않고 도로 가장자리로, 버든 시내 쪽 길로 붙어 걸었다. 그를 가려 줄 나무와 덤불들이 있는 길로.

그의 행선지가 보일까 해서 쌍안경을 들고 나왔다. 루미스는 슈퍼마켓 쪽으로 똑바로 걷고 있었다. 마치 뭔가를 찾는 듯이. 도대체 무얼 찾는 걸까. 그 순간 나는 깨달았다. 그는 날 찾고 있었다. 내가 어디서 나오는지 확인하려는 것이었다. 내가 어디 있는지 알아내기 위해서.

루미스는 마침내 길이 굽어지는 곳, 나무들이 모여 있는 곳에서 멈추었다. 그곳에서는 슈퍼마켓 건물이 보였다.

만약 내가 평상시대로 걸어갔다면 연못에서 슈퍼마켓으로 가는 걸 보았을 것이고 그렇다면 최소한 내가 골짜기의 어느 쪽에 살고 있는지 그가 알아낼 수 있었을 것이다. 그걸 알려 줄 순 없었다. 그러나 나는 평상시처럼 달걀을 줍고, 젖을 짜고, 내 할 일을 하고 싶었다.

방법은 간단했다. 나는 다른 접근법을 사용했다. 산봉우리에 가까운 산길만 이용해서 일단 골짜기의 맨 끝까지, 거의 틈새 길과 가파른 낭떠러지가 있는 곳까지 갔다. 가는 길에 한때 꽃다발을 만들었던 사과나무를 지나치며 내려다보았다. 가지마다 어린 초록빛 사과가 무겁게 매달려 있었다.

나는 그의 시야에서 훨씬 벗어난 곳에서 도로로 내려갔다. 슈퍼마켓조차 보이지 않는 지점이었다. 나는 도로를 가로질러서 시냇가 나무들 쪽으로 붙어 걷기 시작했다. 나무들이 어느 순간 덤불로 바뀌었고 그때부터 슈퍼마켓이 시야에 들어왔다.

나는 슈퍼마켓 건물이 그와 나 사이에 오도록 유지하며 조심스럽게 걸었다. 그러다가 마침내 슈퍼마켓에 도착했을 때 얼른 건물 뒤에서 나와 도로로 들어섰다. 어디선가 느닷없이 나타난 것처럼 보이고 싶었다. 적어도 내가 어느 방향에서 왔는지는 결코 알아낼 수 없을 것이었다.

나는 집 쪽으로 걸었다. 그러다 그가 서 있던 나무 근처에 이르자 또 한 가지를 깨달았다. 그는 단지 날 지켜보려는 게 아니라 날 잡으려 하고 있었다. 나는 조심스럽게 접근했다. 언제든 돌아서서 달아날 수 있도록. 그러나 그는 그곳에 없었고 집 가까이에 이르러서야 베란다에서 집 안으로 들어가는 그의 모습이 보였다. 내 모습이 시야에 들어오는 순간 안으로 들어간 것이었다. 감시라고 하기에는 이해할 수 없는 행동이었다.

나는 평상시대로 내 할 일을 했다. 달걀을 모아 뒤쪽 베란다로 가져가 보니 그가 우유 통과 물통을 내놓았다. 그의 우유 통을 보는 순간, 집으로 오는 길을 고민하느라 내 우유 통을 가져오는 걸 깜빡 잊고, 달걀 담을 자루도 가져오지 않았음을 깨달았다. 그래서 나는 우유를 전부 그에게 주고 달걀 두 개는 닭장에 남겨두었다. 돌아갈 때 양손에 하나씩 들고 갈 생각이었다. 다음 날 자루와 우유 통을 꼭 가져오겠다고 마음먹으면서.

그것 말고도 작은 문제가 있었다. 씨암탉이 병아리를 여섯 마리 더 낳았다. 결국 병아리는 열네 마리가 되었고 씨암탉 두 마리가 또 알을 품고 있었다. 이런 경우 나는 늙은 암탉 한 마리 정도는 저녁때 잡아먹었다. 하지만 이제 어떻게 닭을 손질할 수 있을까? 어디서, 그리고 무슨 수로? 나는 부엌에 들어갈 수가 없었다. 주머니칼을 제외한 나의 유일한 칼은 동굴에 있었다.

그 두 가지 문제에 대한 확실한 해결책이 한 가지 있었다. 나는 그의 물통을 들고 연못으로 향했다. 그가 창가에서 똑똑히 볼 수 있도록. 내가 그저 그에게 물을 길어다 주려고 연못으로 가는 거라고 생각하도록.

연못가에서 그의 시야에서 벗어난 순간, 나는 물통을 내려놓고 숲에서 벗어나지 않으면서 동굴로 달려가 칼과 우유 통을 챙겼다. 나는 불과 4~5분 만에 다시 물통에 물을 채우러 돌아올 수 있었다. 다만 숨이 턱까지 찬 상태로. 집으로 들어와서 그의 물통을 우유와 달걀 옆에 놓았다. 내가 의심을 피했다고 생각하면서. 그런데 알고 보니 그게 아니었다.

나는 헛간의 작업대에서 닭을 씻은 다음 튀기기 적당한 크기로 잘라 반으로 나누었다. 반은 그의 것이고 나머지 반은 내 것이었다. 늙은 닭이라 굽는 편이 훨씬 낫겠지만 내가 구워 줄 순 없었다. 조금 질기더라도 먹을 수는 있을 것이었다.

다른 것들과 함께 닭 반 마리를 베란다에 내려놓고 토마토를 따러 밭으로 나갔다. 거름 덕분에 토마토 줄기가 굵고 무성하게 자랐고 단단하고 조그만 토마토들이 주렁주렁 열렸다. 나는 말뚝을 세우기로 했다. 말뚝은 노끈과 함께 헛간 뒤쪽 마구실에 있었다. 나는 괭이질을 마친 뒤 노끈으로 토마토 줄기를 말뚝에 묶었다. 모두 스물여덟 개였다. 저장 문제만 해결할 수 있다면 겨우내 먹을 수 있는 토마토 스튜를 만들 수 있을 텐데. 아이러니가 아닐 수 없었다. 마침내 스토브를 들여놓았는데 정작 쓸 수가 없다니.

스튜를 만들면 반은 루미스에게 주고 반은 동굴에 가져갈 생각이었다. 거기 두면 얼지 않을 테니까. 나는 그 모든 걸 점심을 먹으며 생각했다. (점심은 주머니에 넣어 둔 옥수수빵 두 쪽이었다.) 나는 텃밭 울타리에 기대어 앉았다. 식사를 마친 뒤엔 잠시 쉬면서 감자 넝쿨을 바라보았다. 짙푸른 잎사귀가 싱싱해 보였다.

감자 역시 동굴에 보관하면 될 것 같았다. 나는 휴식을 취하

229

고 나서 일어나 트랙터를 몰기 위해 헛간으로 갔다.

그리고 거기서 심각한 문제가 발생했다. 트랙터는 늘 있던 자리에 있는데 열쇠가 보이지 않았다.

나는 바닥을 살펴보았다. 어젯밤 루미스가 사용한 뒤 실수로 바닥에 떨어뜨렸을지도 모른다는 생각이 가장 먼저 들었다. 헛간 바닥은 넓었고 검고 두꺼운 마루가 깔려 있는 데다 다른 물건들이 널려 있지 않았기 때문에 열쇠가 바닥에 떨어졌다면 곧바로 눈에 뜨일 게 분명했다. 그런데 열쇠는 보이지 않았다.

그제야 생각이 났다. 우린 늘 트랙터에 열쇠를 꽂아 두었다. 잃어버리지 않도록 아빠가 트랙터 핸들에 느슨하게 철사로 묶어 두었다. 늘 같은 자리에 있는 물건은 그곳에 있다는 것 자체를 잊게 마련이다. 다시 말해서 루미스는 열쇠를 실수로 바닥에 떨어뜨렸을 리가 없었다. 그가 열쇠를 가져간 게 분명했다. 더구나 일부러 가져갔다. 왜냐하면 그 철사 줄을 풀려면 많은 시간과 노력을 들여야 했을 테니까. 하지만 왜? 처음엔 가솔린을 아끼기 위해서 그랬을 거란 생각이 들었다. 트랙터를 사용할 때마다 그에게 열쇠를 달라고 하고 그 이유를 밝힐 수밖에 없도록.

시동 거는 열쇠는 하나가 더 있었다. 그게 어디 있는지도 알았다. 그러나 알아 봐야 소용없는 일이었다. 아빠의 열쇠고리에 달려 있었으니까. 죽음의 땅 어딘가에 있을 아빠의 주머니 속에.

나는 결심했다. 달리 방법이 없었다. 가서 열쇠를 달라고 해야

230

겠다고 생각했다. 트랙터로 경작해야 하는 곡식은 그의 것이기도 하지만 나의 것이기도 했다.

나는 집으로 갔다. 창문에서 똑똑히 보이도록 집 앞 도로에 서 있었다. 즉각적인 반응은 없었다. 굴뚝에서 연기가 피어오르는 것으로 보아 부엌에서 닭을 요리하는 것 같았다. 5분 정도 기다리다가 용기를 내어 현관으로 올라가 문을 두드리고는 얼른 뒷걸음질 쳤다. 파로가 안에서 짖기 시작했고, 잠시 후 루미스가 나타났다. 내가 트랙터 쪽으로 가는 걸 분명히 보았을 테고 내가 찾아온 이유를 아는 게 분명한데도 그는 모르는 척했다.

"다시 온 거니?"

그가 아주 기분 좋은 목소리로 물었다.

"깜짝 놀랐구나. 닭은 고맙다. 지금 막 튀기고 있는데, 들어오고 싶으면……."

"감사하지만 방금 점심을 먹었어요."

"저런. 아쉽구나. 너도 반 마리가 있지? 어디서 요리할 거니?"

그는 내가 어디서 음식을 요리할지 궁금해했다. 물론 연기나 불의 흔적을 찾으려 할 것이었다. 나는 그의 질문을 무시했다.

"트랙터 열쇠가 없어서 왔어요."

"열쇠?"

그가 조금 놀란 척하며 물었다.

"아, 그거. 내가 저녁때 트랙터를 몇 번 몰았거든. 작동법을 좀 익히려고. 너도 들었겠지? 그러다가 열쇠를 집 안에 두기로 했어. 여기가 더 안전할 것 같아서."

"열쇠가 필요해요. 옥수수 밭에 비료를 뿌려야 해요."

그는 앞으로 나오더니 현관 계단에 앉았다. 마치 지나가는 이웃사람들과 얘기를 나눌 때처럼. 앉을 때 난간을 짚긴 했지만 별로 힘들이지 않고 앉았다. 그의 다리는 회복되고 있었고 이젠 지팡이도 쓰지 않았다.

"그건 생각을 좀 해 봐야겠는데? 아직 어떻게 할지 마음을 못 정했거든."

유쾌한 태도가 갑자기 사라졌다.

"네가 이런 식으로 한심한 짓거리를 하면서 집에 안 들어올 생각이라면, 누릴 수 없는 것들이 당연히 있게 마련이지."

"하지만 옥수수는……."

"예를 들면, 스토브도 그래. 그걸 옮기려고 그 고생을 했는데, 스토브도 써야 하지 않겠니? 그것 말고도 아쉬운 게 많을 텐데. 시간이 흐를수록 점점 더."

"씨를 더 뿌리자는 건 아저씨 생각이었어요. 저도 그게 옳다고 생각했고요. 지금은 잘 자라길 원하시잖아요."

"아직 마음을 못 정했다고 말했잖아. 생각은 해 보겠지만 지금은 모르겠다. 내가 지금 닭을 요리하는 중이었거든. 네 요리책에 보니 한쪽 면을 15분씩 익히라고 하더라. 이제 뒤집어야 해."

그가 일어섰다. 역시 거뜬하게.

"아무래도 내가 직접 밭일을 해야 할까 보다."

그가 문 쪽으로 돌아섰다. 그는 안으로 들어가면서 말했다.

"칼을 우유 통에 넣어 온 건 아주 영리했어. 그렇지 않고서야 어떻게 닭을 잡을 수 있었겠니?"

그가 문을 닫았다.

나는 당황했고, 기가 막혔고, 바보가 된 기분으로 멍하니 그를 바라보며 서 있었다. 무슨 말을 할지 몰라 당황했고, 왜 트랙터를 못 쓰게 하는지 이유를 몰라 기가 막혔고, 마지막으로 한 말로 미루어 보건대 내가 무심히 실수를 저질렀음을 깨달았기 때문이었다. 나는 나름 똑똑하다고 생각하면서 그의 물통을 들고 연못으로 갔고 동굴에 얼른 뛰어갔다 돌아왔고, 보란 듯이 칼과 우유 통을 들고 왔다. 물론 그는 내가 가는 것도, 오는 것도 보았을 것이다. 그래서 어딘지는 몰라도 내가 머무는 곳에서 칼을 가져왔단 걸 알았을 것이다. 그곳이 연못에서 불과 몇 분 거리라는 것도. 집에서 연못이 보이지 않는 게, 그래서 내 행선지를 전부다 노출하지 않고 반만 드러낸 게 그나마 다행이었다.

오후 일정이 완전히 사라져 버렸기 때문에 나는 한마디로 황당했다. 나는 헛간으로 가서 몇 분 동안 벽에 기대어 앉아 초원을 바라보며 생각했다. 왜 트랙터 열쇠를 가져갔을까? 정말 직접 비료를 뿌릴 생각일까? 물론 그는 할 수 있었다. 트랙터에 장착하는 비료 뿌리는 기계는 작동하기 쉬웠다.

그리고 새로운 생각이 떠올랐다. 선명하고도 명확한 깨달음이었다. 그는 내가 트랙터를 훔쳐갈까 봐 열쇠를 빼앗았다. 생각할수록 확신이 들었다. 이것도 하나의 유형이었다. 안전복처럼. 파로를 묶은 것처럼. 그는 트랙터에 대한 계획을 세웠고 따라서 트랙터가 중요해졌고 그래서 내가 가져선 안 되었다.

결국 내 추측은 옳았다. 머지않아 나는 그에게 트랙터가 필요했던 이유를 알게 되었다.

오후에 할 일이 없어진 나는 달걀 두 개와 닭 반 마리, 그리고 칼을 챙겨 들고 슈퍼마켓 쪽으로 천천히 걸었다. 우유 통은 헛간에 놓아두었다. 4시에 와서 다시 젖을 짜고 우유 통을 채울 생각이었다.

걸으면서도 혹시 그가 뒤쫓아오는지 수시로 뒤돌아보았다. 그가 서 있던 자리에 이르고 그 길을 조금 지나치자 나는 멈추어 서서 그가 지난번처럼 수풀 뒤에 숨어 있으려고 이쪽으로 오는지 살펴보았다. 그는 나타나지 않았다. 그러나 그가 분명히 나를 창문으로 지켜보고 있을 거란 확신이 들었다.

슈퍼마켓에서 챙길 것들이 몇 가지 있었고 나는 이 기회를 최대한 이용하기로 했다. 일단 옷이 더 필요했다. 개울에서 빨래를 해야 했다. 비누도 필요했고 통조림도 더 필요했다. 나중에야 떠오른 생각이지만 낚싯바늘과 낚싯줄도 필요했다. 클라인 씨네 슈퍼마켓에서 낚싯대와 릴은 팔지 않았고 내 것은 집에 있었다. 그러나 낚싯대 없이도 나는 물고기를 잡을 수 있었다.

필요한 물건들을 갈색 봉지에 차곡차곡 담고 나서 동굴로 곧장 갈지 아니면 먼 길로 돌아갈지 잠깐 고민했다. 내가 기다리고 있었을 땐 그가 수풀에 나타나지 않았지만 내가 떠난 이후 출발했을 수도 있었다. 결국 나는 타협을 했다. 나는 골짜기 틈새 쪽으로 800미터 정도를 걸어 나와서 그의 시야 사이에 슈퍼마켓을 두었다. 그러고 나서 다시 왼쪽으로 돌아 얼른 숲으로 들어가 동굴로 향했다.

나는 낚싯대로 쓸 어린 나뭇가지를 잘랐고 통나무 밑에서 벌레 몇 마리를 잡아 낚시를 하러 갔다. 저녁으로는 닭고기를 먹고 운이 좋으면 아침으로 생선을 먹을 수도 있었다.

# 스물둘

## 8월 4일 (이어서)

4시쯤 나는 중간 크기 물고기 세 마리를 잡아 손질했다. 연못 가에 앉아 있으니 골짜기 틈새까지 이어진 초원 위에 좀 더 짙은 빛깔로 자라난 밀밭이 보였다. 밀을 수확하기보단 씨앗만 얻을 생각이었는데 씨앗은 얻고도 남을 것 같았다. 나는 물고기를 줄에 꿰어 집으로 향했다. 그의 몫 한 마리 반을 뒤 베란다에 내려 놓았다. 그가 날 지켜보고 있다가 물고기를 들고 들어가길 바라면서. 소가 젖을 짜 주길, 여물을 주길 기다리고 있었지만 우유는 반 통밖에 나오지 않았다. 갈수록 양이 줄었지만 그래도 없는 것보단 나았다. 결국은 말라 버릴 것이다. 나는 젖소를 다시 목장에 풀어 놓고 헛간 문을 닫은 다음 우유 통의 뚜껑을 닫고 슈퍼마켓 쪽으로 걸었다. 오늘 할 일은 끝이었다.

슈퍼마켓에 이르러 어느 길로 갈지 망설이는데 멀리서 트랙터 엔진 소리가 들려왔다. 다른 날보다 이른 시간이라 무슨 일인지 궁금했다. 그는 두어 번을 덜컹거리더니 갑자기 속도를 내어 질주하기 시작했다. 엔진 소리가 갑자기 커졌다. 그는 내가 있는 쪽으로 최고 속도로 아스팔트 도로를 달려오고 있었다.

나는 더 이상 고민할 새 없이 연못 오른쪽으로 산비탈을 달려 숲에 숨었다. 그가 모습을 드러내기 전에. 우유를 좀 흘리긴 했지만 어쨌든 들키진 않았다. 숲으로 들어서자마자 왼쪽으로 꺾어서 그를 관찰할 수 있는 위치를 잡았다. 덤불이 부스럭거리는 소리는 걱정하지 않았다. 트랙터 엔진 소리가 워낙 요란했으니까. 나는 덤불숲 뒤에 우유를 내려놓고 웅크리고 앉아 기다렸다.

트랙터가 나무 뒤에서 나와 완전히 모습을 노출한 채 아스팔트 도로를 달려 슈퍼마켓까지 800미터 정도를 따라왔다. 루미스는 트랙터 운전석에 양다리를 벌리고 앉아 왼손으로 운전을 하고 있었다. 그리고 오른손에는 놀랍게도, 그리고 두렵게도 권총을 들고 있었다. 마치 옛날 서부 영화에서 말을 타고 달리며 열차를 공격하는 인디언처럼. 나는 눈앞에 펼쳐진 상황을 이해하지 못한 채 그저 멍하니 바라볼 뿐이었다.

그는 슈퍼마켓에서 다시 30미터 정도를 더 달리고 나서 트랙

237

터를 반쯤 돌리며 멈추어 세우고 엔진을 공회전시켰다. 그는 건물 반대편으로 내려 트랙터를 그와 건물 사이에 두었다. 그곳에 잠시 그대로 서 있다가 엔진을 끄고 열쇠를 주머니에 넣었다. 그리고 양손으로 총을 쥔 채 슈퍼마켓으로 향했다. 그의 시선은 슈퍼마켓의 창문과 문에 고정되어 있었다.

예전 그의 모습이 떠올랐다. 그가 집을 향해 총을 쏘았던 때. 처음엔 아마 병이 재발된 모양이라고, 다시 환각 상태에 빠진 모양이라고 생각했다. 그러나 이번엔 분명히 달랐다. 그때 그는 꿈을 꾸고 있었다. 그러나 문으로 다가가는 지금 그의 모습은 꿈을 꾸는 것과는 거리가 멀었다. 그는 고양이처럼 날렵했다. 그는 멈추어 서서 귀를 기울여 보고 뒤로 물러섰다. 오른쪽을 보고, 왼쪽을 보고, 뒤를 보고, 조금 더 잽싸게 건물을 빙 돌고, 내 시야에서 사라졌다가 다시 나타나 창문마다 안을 들여다보았다. 위층, 아래층 모두. 다시 문으로 돌아온 그는 극도로 조심하며 천천히 문을 열고 안으로 들어섰다.

덤불숲 뒤에 숨어 꼼짝 않고 앉아 그를 지켜보면서 나는 놀라움에 휩싸였다. 왜 가게에 쳐들어간 걸까. '쳐들어갔다'는 표현이 내 머릿속에 떠올랐다. 왜냐하면 정말 그렇게 보였기 때문이다. 기습 공격. 왜 총을 들고 있을까? 무얼 쏘려는 것일까? 날 쏘려는 걸까? 그게 아니라면 왜 총을 들고 있을까?

10여 분 동안 모든 게 고요했다. 나는 건물과 트랙터를 바라보았다. 그때 움직임이 감지되었다. 2층 창문 커튼이 젖혀졌고 그의 얼굴이 보였다. 유령의 집에 사는 유령처럼 어둠 속 창백한 얼굴. 그제야 상황을 조금 알 것 같았다.

그는 매장에 있는 게 아니었다. 2층 클라인 씨네 집으로 올라갔다. 물론 그는 나를 찾고 있었다.

그동안 나는 그를 너무도 잘 속여 왔다. 매일 밤 집을 나설 때마다 슈퍼마켓 쪽으로 걸었다. 아침에는, 즉 그가 지켜보고 있을 때는 슈퍼마켓 뒤에서 갑자기 모습을 드러냈다. 그날 아침도 나는 슈퍼마켓과 같은 방향인 연못에 물을 길으러 갔고, 다시 나타날 때 우유 통과 칼을 들고 돌아왔다. 그러니까 내가 슈퍼마켓에 살고 있다고 짐작할 만도 했다. 루미스는 슈퍼마켓 위층에 살림집이 딸려 있단 사실을 처음 깨달았고 그래서 일부러 올라가 본 것이었다.

그러나 그 집 사람들이 우리 부모님과 함께 떠난 이후 나는 그 집에 딱 한 번 가 보았다. 비 오는 일요일이었고 교회에 다녀오는 길이었다. 일요일이라 일을 하고 싶지가 않았다. 물고기를 잡기에, 산책을 하기에 비가 너무 많이 왔고, 그때쯤 이미 라디오 방송도 다 끊어져 있었다. 그래서 나는 언제나처럼 책을 읽기로 했고 내게 새 책이 있으면 좋겠다고 생각했다. 클라인 씨네 집엔 책이 좀 있을지도 모른다는 생각이 들었다.

클라인 씨네 집은 어두웠고, 흐린 날인데도 커튼이 무겁게

드리워져 있었다. 아담한 체구의 아줌마가 해 놓은 그대로 집 안은 깨끗했지만 오랫동안 문을 닫아 두어서 퀴퀴한 냄새가 났다. 그전에도 한두 번 가 본 적이 있었는데도 왠지 마음이 불편했다. 사적인 공간이었고 죽은 사람들의 공간이었다. 그 집 안에 들어선 순간 책이 없으리란 사실을 알았고 실제로 책은 없었다. 심지어는 잡지조차 없었다. 책이라고는 단 두 권뿐이었는데, 하나는 재봉틀 옆에 놓인 드레스 패턴 책이었고 또 하나는 클라인 씨가 서재로 쓰던 방에 있던 회계와 재고 관리에 관한 책이었다.

두 사람의 침실까지도 좀 더 죄책감을 느끼며 둘러보았지만 평범한 가구와 벽에 걸린 그림 몇 점이 전부였다. 그리고 유일하게 제자리에 있지 않은 물건이 꼭 하나 있었다. 짙은색 수트에 타이를 매고 웃으며 서 있는 젊은 남자의 사진이었다. 꽤 오래된 사진 같았다. 사진은 윗면으로 향한 채 침대 위에 놓여 있었다. 사진 속 남자는 누구인지 궁금했다. 클라인 씨 혹은 클라인 부인이 떠나기 직전 마지막으로 보았던 사진일까? 그들의 아들? 두 사람에게 아들이 있었단 얘긴 들은 적이 없었다. 클라인 부인과 조금 닮은 것으로 보아 아마도 남동생일 수도 있었다. 물론 그가 누구인지 끝내 알 수 없었다. 나는 사진을 도로 침대 위에 놓고 나왔다.

문제는 루미스가 집 안을 둘러보고 내가 거기 살지 않는단 걸 대번에 알았다는 것이다. 그래서 그는 창밖을 내다보았다. 거기 살지 않는다면 인근 어딘가에 살고 있다는 의미였다.

　그는 정문으로 나와 주위를 둘러본 뒤 다시 안으로 들어갔다. 그는 30분쯤 뒤 건물 뒤에서 나타났다. 건물 안을 가로질러 뒷문으로 나온 것이다. 내가 있는 곳에서 뒷문 쪽은 보이지 않았다. 총은 건물 안에 두고 나왔다. 그는 건물에서 나와 몇 미터 정도 걷다가 다시 돌아와서 건물을 바라보며 손으로 턱을 두드렸다. 그러고는 다시 사라졌다. 그가 다시 뒷문으로 들어갔다는 걸 짐작할 수 있었고 약 15분 정도 그가 보이지 않았다.

　나는 다시 총을 생각했다. 보는 것만으로도 섬뜩했지만 이제는 처음 보았을 때만큼 섬뜩하게 느껴지진 않았다. 나도 이제 그의 머리가 돌아가는 방식, 그가 생각하는 방식에 익숙해져 가고 있었다. 그의 사고방식에는 하나의 유형이 있었고 그 유형이 반복되고 있었다. 총의 경우만 해도 그에게 총은 이런 의미였다. 아니, 이런 의미일 것 같았다. 그는 날 쏠 생각이라기보단 내가 그를 쏠 거라고 생각하고 있었다. 나는 지금도 그게 맞을 거라 믿는다. 그는 내가 슈퍼마켓에 숨어 있다가 그가 오는 걸 보고 겁에 질려 그를 쫓으려고 총을 쏠 수도 있다고 생각했을 것이다. 그러나 왜 내게 총이 있을 거라 단정했을까. 내 총은 그가 도착한 이래 줄곧 동굴에 있었고, 내 기억으로 그 총에 대해서는 그에게 언급한 적이 없었다.

　그 순간 나는 깨달았다. 그동안 그에겐 생각할 시간이 충분했단 걸. 지난 2주 동안 그는 수레를 끌고 안전복을 입고 우리 집에 처음 오던 그날을 생각했을 것이다. 내가 조심했던 덕분에 집은 비어 있었고 최근에 사람이 산 흔적이 없단 사실을 확인할 수 있었다. 그러나 지금 그는 그날을 되짚어 보면서 내게 다른 살 곳이 있는 게 분명하다고 생각하고 있었다.

이런 시골 마을에는 사람들이 항상 사냥용 총을 집에 둔다는 것도 생각했을 것이다. 그래서 내가 집을 나갈 때 총을 가져갔을 거라 짐작했을 것이다. 매일 집에 혼자 앉아서 그는 아마 이런 생각도 했을 것이다. 만약 (내가 들판에서 사는 게 아니라) 편안하고 안락한 곳에 살고 있다면, 며칠 내로 포기하고 집으로 돌아오지 않을 거라고. 그의 표현에 따르면 '한심한 짓거리'를 그만두지 않을 거라고. 그가 강제로 날 끌고 오지 않는 한.

다시 그의 모습이 보였을 때 이미 해가 저물고 있었다. 그는 건물 뒤쪽에서 돌아 나왔다. 아마 뒷문으로 다시 나갔던 것 같았다. 그가 손에 무언가를 들고 있었다. 스러져 가는 햇빛 속에 쌍안경도 없었기 때문에 그게 무언지 확실히 알 수 없었다. 작은 물건이고 적어도 총이 아니라는 것 외엔.

그는 슈퍼마켓 정문 앞에 섰다. 지붕 밑이라 그늘이 져서 그가 무얼 하는지 잘 보이지 않았다. 문을 살펴보는 것 같았다. 손으로 문틀을 만져 보기도 했다. 그러더니 무언지는 몰라도 들고 있던 걸 바닥에 내려놓고 다시 안으로 들어갔다가 곧바로 무언가를 들고 다시 나왔다. 그리고 15분 정도 부지런히 작업을 했다. 무얼 하는지 보이진 않았고 추측만 가능했다.

작업을 끝내기 직전 그는 다시 한 번 안으로 들어가 총을 들고 나왔다. 그리고 잠시 후 트랙터를 몰고 집으로 향했다. 엔진소리가 멀어지고 마침내 잦아드는 것을 확인한 뒤에야 나는 일어서서 덤불 밖으로 나왔다. 우유와 물고기도 잊지 않았다. 어두워지고 있었다.

동굴로 곧장 갈까 생각했지만 그러기엔 너무 궁금했다. 나의 짐작이 옳았는지, 내가 두려워한 일이 실제로 일어난 건지 확인하고 싶었다. 나는 슈퍼마켓으로 다가가 확인해 보았다. 그가 앞문과 뒷문에 자물쇠를 달아 놓았다. 양쪽 다 잠겨 있었다.

그날 밤 모닥불 앞에 앉아 나는 계획을 바꾸어 생선을 익혔다. 오래 보관할 수 없는 생선은 먹고, 조금 더 보관할 수 있는 닭고기는 종이에 싸서 서늘한 곳에 놓아두었다. 나는 열쇠 없는 자물쇠와 열쇠 없는 트랙터를 생각해 보았다. 이제 매번 그에게 허락을 구해야 했다. 그런데 그 순간 더 끔찍한 깨달음이 밀려들었다.

그는 내게 그 어떤 열쇠도 내어 주지 않을 것이다.

# 스물셋

그가 나를 쏜 건 그다음 날이었다.

평상시처럼 새벽에 눈을 뜬 나는 담요와 침낭을 동굴로 날랐고 저녁에 먹다 남은 생선을 먹었다. 차갑게 식긴 했지만 조리가 된 상태라 먹을 만했다. 요기를 하니 조금이나마 기운이 났고 자물쇠에 대해 너무 부정적으로 생각하는 건 아닌가 하는 생각도 들었다. 그에겐 상황을 통제하고, 물건을 아끼고, 무엇이든 오래 버틸 수 있도록 비축하고 싶어 하는 강박증이 있었다. V 벨트, 가솔린, 비료 등등. 그에겐 장기적인 안목이 있었다. 그리고 그 방면에 있어선 나를 신뢰하지 않았다. (어떻게 보면 그럴 만도 했

244

다.) 그래서 자물쇠를 채운 것이다. 아마 그게 다일지도 몰랐다.

어느 쪽이건 그가 그럴 수밖에 없는 이유를 알아내야 했다. 물론 그 이유가 두렵긴 했다. 왜냐하면 앞서 말한 이유가 아니라면 그의 그런 행동은 단순히 날 억지로 돌아오게 만들기 위한 수단에 불과하기 때문이다. 그 가능성 역시 배제할 순 없었다. 그게 그의 계획이라면 난 어떻게 해야 할까. 동굴에 비축한 식량으로 몇 주 정도는 버틸 수 있을 것 같았다. 먹는 양을 줄이면 조금 더 버틸 수도 있었다. 물고기를 잡을 수도 있었다. 산딸기가 어디 열리는지도 알았다. 토끼를 쏠 수도 있었다. 그러나 어떤 식으로든 내가 오래 버티지는 못하리란 건 너무도 분명했다.

더구나 닭, 달걀, 우유, 텃밭은 어떻게 해야 하나. 그것마저도 잠가 버리려나?

이런저런 추측을 해 봐야 무슨 소용이 있을까. 그의 속셈을 알아내야 했다.

걱정스럽고 우울한 마음으로 나는 우유 통과 자루를 들고 집으로 향했다. 물론 먼 길을 돌아갔다. 내 은신처를 들키지 않는 게 그 어느 때보다 중요하게 느껴졌다.

집 쪽으로 걸으며 또 다른 생각이 떠올랐다. 그가 안 하던 행동을 하는 것은 어쩌면 내 잘못인지도 모른다. 내가 그와 거리를 두면 둘수록 그는 어떻게든 날 돌아오게 만들려 애쓸 것이다. 어쩌면 내가 조금 양보할 수도 있지 않을까. 혼자 남겨지는 걸 도저히 못 견디는 사람들도 간혹 있다. 절망감 때문에 저러는 건지도 모른다. 그렇다면 만약 그가 원한다면 매일 저녁 한 시간 정도 그에게 말을 걸어 주면 어떨까. 그는 베란다에, 나는 도로에 서서라도. 그렇게 해서 해로울 건 없을 것이다. 안전이 확보된 상태에서라면 그에게 친절하지 못할 이유도 없었다. 합리적인 생각 같았고 나는 한결 기분이 나아졌다.

마침내 집이 보이자 평상시처럼 일을 하러 가지 않고 곧장 그에게 가서 자물쇠를 보았다고, 열쇠를 달라고 해야겠다고 생각했다. 그 문제를 먼저 해결해야 했다. 더구나 슈퍼마켓에서 그에게 식료품을 더 가져다줄 때도 되었다. 내가 생각해 낸 새로운 제안도 해 볼 생각이었다.

지금은 안다. 내가 집 쪽으로 난 도로를 걷고 있을 때 그가 날 지켜보고 있었고 내가 가까이 다가오길 기다리고 있었단 걸. 내가 언제 갔건 그의 계획은 달라지지 않았을 것이다. 어쨌든 나는 그에게 열쇠를 달라고 해야 했을 테니까.

언젠가 아빠가 한 말이 기억이 난다. 위대한 사건은 항상 느닷없이 일어나는 법이라고. 정신을 차려 보면 이미 다 끝나 있다고. 물론 이 일을 위대한 사건이라고 부를 순 없겠지만 내겐 너무도 중요하고 또 끔찍한 사건이었고 내가 미처 알아차리기도 전에 일어나 버렸다.

전날 그랬던 것처럼 현관 쪽을 바라보며 집을 마주 보고 서서 그가 나오지 않으면 노크를 해야겠다고 생각하고 있는데 날카로운 딸깍 소리가 났다. 어디서 나는 무슨 소리일까 생각하는 순간 청바지 왼쪽 밑단이 당기는 느낌과 함께 오른쪽 발목에 날카로운 통증이 느껴졌다. 그리고 다시 한 번 그 소리가 들렸다. 그제야 나는 고개를 들고 10센티미터 정도 열려 있는 2층 창문 틈으로 나와 있는, 반짝이는 늘씬한 푸른 총신과 커튼에 일부가 가려진 그의 얼굴을 보았다. 두 번째 총탄은 빗나갔다. 벌처럼 윙 하는 소리와 함께 내 뒤로 30센티미터 떨어진 부근의 아스팔트에 맞았다.

나는 우유 통을 내던지고 죽어라 뛰었다. 우유 통이 요란한 소리와 함께 떨어져 굴러갔다. 집 안에 있던 파로는 총소리와 우유 통 떨어지는 소리를 듣고 미친 듯이 짖어 대기 시작했다. 나는 버든 시냇가 수풀로 달렸다. 조만간 내 몸에 총알이 박힐 거라 생각하면서. 앞으로도 30미터 정도는 내 등이 무방비 상태로 노출될 게 뻔했다. 그러나 그는 더 이상은 쏘지 않았다. 심지어 창문 닫히는 소리도 들린 것 같았지만 멈추어 돌아보지 않았다.

나무들이 보이기 시작하자 마침내 안전하다는 생각이 들었고 나는 도로를 벗어나 이 나무에서 저 나무로 옮겨가며 걸었다. 길이 구부러지는 지점에서 마침내 뒤를 돌아보고 그가 쫓아오지 않는 걸 확인할 수 있었고, 그제야 주저앉아 발목을 살펴보았다. 총알이 청바지 밑단에 조그만 구멍 두 개를 만들며 관통했고 양말이 길게 찢어지면서 그 틈으로 피가 배어 나왔다. 나는 운동화와 양말을 벗었다. 피부가 살짝 벗겨진, 작고 얕은 상처가 드러났다. 상처의 양쪽 가장자리가 하얗고 만져 보니 따가웠다. 조만간 멍이 파랗게 들고 검푸른색으로 변할 것 같았다.

그러나 그런 상처들이 대개 그렇듯이 심각하진 않았다. 내가 앉아 있는 동안 출혈도 멎었다. 그러나 내겐 아무것도 없었다. 붕대도 없고 소독약도 없었다. 집에는 조금 있고, 슈퍼마켓에도 있었지만 둘 다 내 손이 닿을 수 없는 곳이었다. 나는 동굴에 비누가 있다는 사실을 떠올렸다. 적어도 상처를 씻고 깨끗한 양말을 신을 수는 있었다. 나는 신발 끈을 헐겁게 묶고 걷기 시작했다.

발목의 상처를 닦으면서 생각할수록 참 이상하고 황당한 상처란 생각이 들었다. 그는 두 발을 쏘았다. 만약 날 겨냥한 거라면 두 발 다 너무 낮았다. 사격 솜씨가 워낙 형편없는 걸까. 그럴 것 같진 않았다. 나는 (적어도 그가 첫 발을 쏠 때에는) 제자리에 꼼짝 않고 서 있었고 그는 창틀에 총을 괴고 자세를 잡고 기다렸다. 그런 상태라면 누구도 그렇게 엉터리로 총을 쏠 순 없었다. 일부러 빗나가게 한 걸까? 날 쫓아 버리려고? 어쩌면 그럴 수도 있었다. 그러나 어떻게 보면, 그래서 더 어설프게 쏜 걸수도 있었다. 무언가를 명중시켜야 한다고 생각하면 누구라도 빗맞힐 수 있다. 그러나 오히려 대충 쏘려고 할 때 제대로 맞는 수도 있다.

그 순간, 구역질과 함께 진실이 엄습해 왔다.

그 진실, 그 장면, 그 뒤로 일어난 일들, 그 뒤에 이어진 시간은 너무도 끔찍해서 다시 떠올리기조차 싫다. 매 순간, 그 일을 떠올릴 때마다 마치 악몽을 꾸는 것과도 같았고 매번 그 악몽을 처음부터 다시 꾸게 된다.

나는 연못가에 신발을 벗어 놓고 한 손에 양말을 든 채 발이 마르기를 기다리고 있었다. 비누는 연못가 바위 위에 올려놓았다. 어느 순간 나는 깨달았다. 그가 잘못 쏜 게 아니란 걸. 그는 내 다리를 쏘아 걷지 못하게 만들 작정이었다. 날 죽이지 않고 불구로 만들 생각이었다. 그래야 잡을 수 있을 테니까. 단순한 계획이었고 끔찍한 계획이었다. 굶주림은 나를 집으로, 혹은 슈퍼마켓으로 유인할 것이다. 그리고 총상은 날 달아나지 못하게 만들 것이다. 결국 그는 성공할 때까지 계속 시도할 것이었다.

도대체 왜? 그게 내가 던질 수 있는 유일한 질문이었다.

연못가에 앉아 있는데 트랙터 시동 거는 소리가 들렸다. 나는 본능적으로 앞으로 무슨 일이 일어날지 깨달았다. 그래서 양말을 신고 신발을 신은 다음, 전에 숨었던 산기슭 덤불숲으로 뛰었다.

아침 햇살 아래 반짝이는 빨간 트랙터가 나무들 사이에서 모습을 드러냈다. 루미스가 한 손에 총을 들고 트랙터를 몰고 있었다. 총신이 푸른색 유리관처럼 반짝였지만 작은 22구경 권총이었다. 그는 내 다리를 부숴 버릴 생각은 없었다. 그저 절뚝거리게 만들 생각이었다. 그렇게 해서 나를 잡은 뒤엔 낫길 바랐을 것이다.

트랙터 뒤에 카트가 연결되어 있었고 카트 안에는 파로가 줄에 묶여 있었다. 파로는 트랙터 여행을 즐기고 있는 것 같았다. 녀석은 워낙 카트 타는 걸 좋아했다.

루미스가 전처럼 슈퍼마켓 앞에 트랙터를 세우더니 총을 들고 내렸다. 이번엔 내가 안에 없단 걸 그도 알았지만 행여라도 내가 근처에 숨어 있으면 자기를 쏠 가능성이 높다는 것 역시 알았다. 그는 민첩하게 주위를 둘러보았다. 그리고 파로를 카트에서 내려놓고 그들이 연습한 게임을 시작했다. 루미스는 파로의 줄을 잡고 슈퍼마켓 주위를 돌았다. 파로는 내 체취를 바로 찾아냈다. 집으로 향하는 가장 최근의 체취였다. 그러나 루미스가 원한 건 그게 아니었다.

루미스는 좀 더 큰 원을 그리며 파로를 끌고 다녔고 이번에는 파로가 감을 제대로 잡았다. 파로는 나의 아침 길을 추적했다. 꼬리를 흔들면서 쉽게도 찾아냈다. 그 순간 그 작고 다정한 개가, 데이비드의 개가 호랑이처럼 위협적인 적군이 되었다. 왜냐하면 파로가 무슨 짓을 할지 감이 잡혔기 때문이다. 파로는 1.5킬로미터 정도 도로를 따라 내려가다가 왼쪽으로 꺾어서 산중턱의 동굴로 루미스를 안내할 것이었다.

그 악몽은 한 시간 정도 지속되었다. (루미스는 절뚝거리지 않았지만) 그렇다고 서둘러 걷지도 않았기 때문에 그 정도의 시간이 소요되었다. 그러나 그들이 동굴에 도착하기 훨씬 전에 내가 동굴로 달려갔다. 이제 나의 동굴 생활은 끝이었다. 그것만은 확실했다. 내겐 헛간에서 가져온 삼베 자루가 있었다. 나는 그곳에 들고 갈 수 있는 것들을 전부 다 넣었다. 무엇을 넣을지 냉정하게 판단할 수가 없었고 바보처럼 울었다. 발목이 너무 아팠다. 나는 통조림과 이 노트, 담요, 칼, 물을 챙겼다. 그게 내가 챙길 수 있는 것 전부였다. 총도 챙겼다. 펌프 연사식 22구경이었고 주머니에 탄약 한 상자도 넣었다.

내겐 산꼭대기 쪽으로 더 올라가는 것 말고는 방법이 없었다. 그들이 동굴로 가려면 지나쳐야 하는 지점을 선택했다. 거기서 기다리면서 언제든 달아날 채비를 했다. 그 시간은 내게 가장 끔찍한 악몽이었다. 왜냐하면 거기서 앞으로 내가 할 일이 무언지 깨달았기 때문이다. 내가 어딜 가든 루미스 곁에 파로가 있는 한 루미스는 결국 날 찾아낼 것이었다. 결국 나는 파로를 쏘아야만 했다.

나는 총을 장전했고 총을 받칠 작은 둔덕을 찾은 다음 그 위에 누웠다. 15분쯤 후, 나뭇가지가 흔들렸다. 그들은 아직 400미터 정도 아래쪽에 있었고 내 체취를 추적하고 있었다. 발목은 점점 더 아파 왔지만 나는 울음을 멈추었다. 구역질이 날 것 같았지만 시야는 또렷했다.

마침내 그들이 내 바로 밑에 섰다. 루미스는 천천히, 조금 절뚝거리면서 걸었고 파로는 짧은 줄을 당기며 그를 끌고 있었다. 루미스가 소리를 듣기 위해 걸음을 멈추었고 그 순간 나의 목표물이 정지했다. 나는 총을 장전했다. 안정적인 위치였고, 절대 놓칠 수 없는 거리였다. 그러나 바로 그 순간 파로가 다급한 듯 앞으로 줄을 당기며 작게 짖었고, 그 소리가 내 귀에 선명하게 들렸다. 파로가 날 반길 때 기분이 좋아서 내는 소리였다. 파로는 멀지 않은 곳에 동굴이 있다는 걸 알았다. 그 소리, 너무도 다정하고 익숙한 소리에 나는 그만 방아쇠를 당기는 손가락의 힘이 빠져 버렸다. 도저히 쏠 수가 없었다. 결국 나는 총구를 내렸고, 그들은 내 시야에서 벗어났다.

몇 분 뒤 그들이 동굴에 도착했고 내가 숨어 있는 곳에서는 그들이 보이지 않았다. 나는 감히 가까이 다가가지 않았다. 그가 주위를 살피고 있을 게 뻔했다.

연기 냄새가 났다. 나는 더 위쪽으로 올라가 내려다보았다. 동굴 방향에서 굵은 연기 기둥이, 마치 모닥불 연기처럼 솟아오르고 있었다. 나는 구역질을 하면서 현기증까지 느끼며 주저앉아 신발 끈을 풀었다.

연기는 30여 분 동안 계속되었고 마지막엔 점점 가늘어지다가 마침내 멈추었다. 그리고 트랙터 엔진 소리가 들렸다. 집으로 향하는 트랙터 소리는 점점 더 멀어졌다. 오늘 하루 이미 걸을 만큼 걸었던 루미스가 마침내 집으로 돌아가고 있었다. 트랙터 소리가 멈추고 마침내 안전해졌다는 생각이 들자 나는 오른발을 딛지 않으려 애쓰며 걸어서 동굴로 갔다.

울음을 삼키기가 쉽지 않았다. 동굴 입구에 내 물건들을 태운, 시커멓고 연기 나는 잿더미가 있었다. 내 침낭, 내 옷, 심지어는 내가 식탁으로 쓰던 상자와 깔고 앉던 나무판 모두 잿더미가 되었다. 내가 만든 벽난로도 발에 차여 무너져 있었고 물통도 찌그러져 있었다. 잿더미 속에 그을린 『영미 명단편집』 표지도 보였다. 남겨 놓은 통조림도 모두 가져갔다. 통조림의 재는 보이지 않았다. 나머지 총들도 사라졌다. 동굴 안에서 그는 꼭 한 가지를 놓쳤다. 반으로 자른 닭이 여전히 한구석에 있었다.

그게 바로 나의 악몽이었다. 아니, 악몽이다. 가장 끔찍한 대목은 내가 잠시나마 파로를 죽이기로 결심했던 것이다. 내가 방아쇠를 당기지 못한 게 그나마 다행이다. 그러나 그렇다고 해도 달라질 건 없다. 결국 나도 루미스와 똑같은 살인자가 된 기분이 든다. 그리고 골짜기엔 우리 둘뿐이다.

결국 나는 파로를 죽였다. 총을 쏘아 죽인 게 아니었을 뿐.

# 스물넷

## 8월 6일

비가 내린다. 나는 몸을 말리려고 속 빈 나무에 숨어 있다. 어젯밤 비가 내리기 시작한 뒤로 거의 대부분 여기서 잠만 잤다. 이곳은 비좁고 거미들이 신경 쓰인다. 그러나 지금 나는 그 어느 때보다도 희망에 차 있다. 발목도 거의 나았다. 내가 이토록 희망적인 이유는 앞으로 어떻게 할지 결정했기 때문이다. 나는 결심했다. 안전복을 훔쳐 골짜기를 떠날 것이다. 앓는 동안 떠오른 생각이다.

총을 맞고 며칠 동안 거의 의식이 없었다. 체온계가 없어 재

254

어 보진 못했지만 아마도 열이 있었던 것 같고 발목이 커다랗게 부풀어 올랐다. 한쪽은 시퍼렇고 한쪽은 붉었다. 그 발로 걸어 볼 엄두가 나지 않았다. 발을 디딜 때 너무 아팠다. 움직여야 할 때면 한 발로 뛰었다. 그러나 대부분의 시간에 나는 담요를 뒤집 어쓰고 가만히 누워 있었다. 그리고 아주 많이 잤다.

가끔 멀리 트랙터 소리, 망치질 하는 소리가 들린 것 같기도 했지만 확실히는 알 수 없었다. 만약 루미스가 내 상태를 알았다 면, 파로의 도움을 받아 쉽게 날 찾았을 것이다. 나는 뛸 수가 없 었으니까. 그러나 루미스가 그 사실을 알 리가 없었다. 내 상처 는 아주 가벼워 보였을 것이다. 그가 마지막으로 보았을 때 나는 전속력으로 뛰었다. 그는 총탄이 완전히 빗나갔다고 생각했을 것이다. 그래서 그는 내가 결국 돌아올 거라 가정하고 다른 일에 몰두했다. 그는 그렇게 날 잡을 기회를 놓쳤다.

잠만 자던 그 시간에 나는 꿈을 꾸기 시작했고, 그 꿈을 여러 번 반복해서 꾸었다. 처음엔 그다지 선명하지 않았다. 그저 내가 낯선 곳을 돌아다니는 꿈이었고, 잠에서 깨어나면 내가 아직 골 짜기에 있다는 게 실망스러웠다.

나는 사람들의 꿈 이야기가 대체로 따분하다고 생각하는 편 이었다. 그 꿈 이전의 모든 꿈들은 그저 잠에서 깨어난 뒤 몇 초 동안만 기억할 뿐이었다. 그러나 그 꿈은 그전에 내가 듣거나 꾸 었던 그 어떤 꿈보다 의미심장했다. 매일 밤 같은 꿈을 꾸면서

255

그 꿈이 내 생각을 지배하기 시작했고, 그 꿈의 의미를 믿고 싶었고, 이제는 믿게 되었다. 어딘가에 내가 살 곳이 있다는 것. 그리고 그곳에 가야 한다는 것. 책이 빼곡하게 꽂혀 있는 교실이 있었고 책상 앞에 앉아 있는 아이들이 있었다. 그 아이들을 가르칠 사람이 없기 때문에 아이들은 글을 읽을 수가 없었다. 그들은 그저 가만히 앉아 문만 바라보며 기다리고 있었다. 꿈속에서 나는 그들의 얼굴을 보았고 그 아이들의 이름을 알고 싶었다. 아이들은 아주 오랫동안 누군가를 기다려 온 것 같았다.

그래서 나는 골짜기를 떠나기로 결심했다. 내게 총을 쏜 이후 나는 루미스가 미쳤다고 단정했다. 우리는 결코 같은 곳에서 평화롭게 살 수가 없다. 나는 그에게 들켜 잡힐지도 모른다는 공포에 휩싸인 채 살았다. 자갈 구르는 소리, 나뭇가지 부러지는 소리, 심지어 나뭇잎이 바람에 서걱거리는 소리만 들어도 온몸이 차갑게 얼어붙었다. 평생을 살았던 고향이자 보금자리였던 골짜기가 이제 어딜 가든, 내가 무얼 하든 날 위협하는 것 같았다.

처음에 나의 계획은 아주 모호했고 그저 막연한 소망에 불과했다. 나는 꿈속에서 보았던 장소를 생각했고 그곳이 어디일지 생각했다. 내 기억으로 그곳은 내가 어렸을 때 가 보았던 그 어떤 곳과도 달랐다. 북쪽은 아니었다. 부모님과 루미스가 북쪽에서 이미 죽음의 도시들을 목격했기 때문이다. 아마도 남쪽이나

서쪽일 것 같았다. 남쪽과 서쪽에는 골짜기가 많았고, 농장과 슈퍼마켓, 학교가 있는 골짜기도 있었다. 그곳에 생존자들이 있고, 골짜기를 떠나기 두려워하고 있을지도 모른다는 생각은 너무 섣부른 추측이었을까.

나는 그쪽으로 가 보기로 결심했다. 장기 여행과 탐색을 준비할 생각이었다. 루미스가 했던 것처럼. 안전복을 입고 수레를 끌고서. 쌍안경과 총을 들고. 하루에 내가 걸을 수 있는 만큼 걸을 생각이었다. 꿈속에서 보았던 그 아이들을 찾아서.

구체적인 계획을 세우고 나니, 어느 순간부터 단지 하나의 계획이 아니라 실제로 해야 할 일로 다가오기 시작했고, 그러고 보니 생각해야 할 문제들이 많았다. 수레에 어느 정도의 식량이 남아 있는지도 몰랐다. 당연히 물도 필요했다. 산소탱크 작동법도 모르고 안전복이 내게 맞는지도 몰랐다. 그보다 중요한 건, 그에게 들키지 않고 총에 맞지 않으면서 안전복과 수레를 빼내 올 방법을 궁리해야 한다는 것이었다. 누군가는, 에드워드는 안전복 때문에 목숨을 잃었다. 루미스는 필요하다면 일말의 주저 없이 나를 죽일 것이었다.

근 한 달 가까이 그는 날 내버려 두었다. 왜 그랬는지는 알 수 없지만 그가 그동안 무얼 했는지는 안다. 매일 아침 트랙터 엔진 소리가 들렸고 그 소리는 한동안 계속되었다. 정오가 될 때까지 때로는 커졌고, 때로는 작아졌다. 몇 번은 산 아래로 내려가 덤불숲에 숨어 그를 지켜보았다. 그는 텃밭에 비료를 주거나 겨울에 쓸 땔감을 모았다. 늘 하는 일에 몰두하고 있어서 닭장에 몰래 들어가서 달걀을 집어 오건 연못에서 물고기를 잡건 그가 모를 거란 생각도 들었다. 그러나 그러기엔 너무 위험했다.

그동안 어떻게 살았냐고? 그 얘기를 하면 더 빨리 떠날 결심을 하지 않은 게 이상하다고 생각할 것이다. 왜냐하면 그동안 나는 내가 상상했던 것보다 훨씬 더 비참하게 살았기 때문이다. 대부분의 시간에 나는 굶주렸다. 산등성이에서 버섯과 블랙베리를 따먹었다. 그 외의 다른 걸 먹기 위해 밤중에 골짜기로 숨어들기도 했다. 내가 일군 밭에서 채소를 훔쳐 날것으로 먹거나 밤중에 불에 익혀 먹었다. 달도 없이 흐린 밤이면 연못에서 물고기를 잡았다. 그럴 때면 늘 두려웠다. 내가 올 걸 짐작하고 그가 어디엔가 덫을 놓고 기다리고 있을 것만 같았다. 한번은 닭장에 숨어들어 달걀을 꺼내는데, 내가 족제비나 여우인 줄 알고 닭들이 놀라 울어 댔고 집 안에 있던 그가 분명히 그 소리를 들었을 거란 확신이 들었다. 그 뒤로 다시는 닭장에 가지 않았다.

굶주림보다 더 끔찍했던 건 단조로운 생활이었다. 해가 떠 있는 동안에는 그에게 들킬까 봐, 혹은 총에 맞을까 봐 아무 데도 갈 수가 없었고, 대부분의 시간에 골짜기의 이쪽 끝에 갇혀 있었다. 아주 더운 날에도 그곳만큼은 서늘하고 그늘이 져서 잠은 꽤 많이 잘 수 있었다. 물론 루미스가 파로를 앞세워 나의 새로운

258

은신처를 찾아내고 내가 잠든 사이 날 포위할지도 모른다는 생각에 두렵긴 했다. 그러나 멀리서 들려오는 트랙터 소리가 나를 안심시켰다.

숲에 어둠이 내려 돌아다닐 수 있게 되길 기다리면서 내 책을 떠올리곤 했다. 내가 가장 좋아하는 이야기들을 모두 기억했고 어떤 장면에서는 작가가 쓴 단어까지도 또렷하게 기억이 났다. 또한 나는 기억했다. 그날 밤 그가 내 물건들을 태우고 난 뒤 내가 동굴로 돌아갔을 때 그 책이 어떤 모습이었는지. 그 기억을 떠올릴 때면 루미스에 대한 증오심이 불타오른다. 내가 누군가를 그토록 미워했던 적이 있었던가. 어렸을 때 누군가를 증오하는 건 잘못이라고 배웠다. 그러나 나는 그를 해치고 싶고 그에게 슬픔을 주고 싶다. 그는 내가 가장 아끼는 물건을 고의적으로 파괴했다. 안전복을 훔치는 게 나의 복수가 될 것이다.

나는 그 계획에 대해 많이 생각했다. 그러나 나의 삶이 그토록 비참했음에도 나는 선뜻 계획을 실행에 옮길 수가 없었고, 심지어는 한동안 그 첫발조차 내디딜 수가 없었다. 나를 막은 건 아마도 두려움이었을 것이다. 그리고 루미스가 날 내버려 두었기 때문이었을 것이다. 그러나 결국 시간문제였다. 머지않아 가을이 올 것이고, 나의 식량은 바닥날 것이고, 루미스는 영원히 기다려 주진 않을 것이었다.

그 계획을 앞당긴 장본인은, 물론 그 자신은 전혀 알지 못했고 나 역시 그렇게 될 줄 몰랐지만, 루미스 자신이었다. 어느 따스한 오후, 너무나 따분해진 나는 그러면 안 된다는 걸 알면서도 블랙베리를 따먹으러 골짜기 동쪽 봉우리로 갔다. 블랙베리가 잔뜩 열려 있었고 맛이 좋았다. 나는 눈에 띄지 않도록 덤불에 몸을 숨긴 채 먹을 수 있는 만큼 따먹었다. 그런데 어느 순간 슈퍼마켓 쪽을 흘긋 바라보다가 뭔가 달라졌다는 생각이 들었다. 그러나 나는 다시 블랙베리를 먹는 데 열중했다. 두 번째 돌아보았을 때 나는 비로소 뭐가 달라졌는지를 깨달았다. 슈퍼마켓 문이 활짝 열려 있었다.

내 눈을 믿을 수가 없었다. 처음엔 루미스가 안에서 물건을 챙기고 있는 모양이라고 생각했다. 나는 덤불 뒤에서 몸을 웅크리고 앉아 그가 나타나기를 기다렸다. 그러나 그가 나타날 기미가 보이지 않았다. 그러다가 문득 그가 실수로 가게 문을 열어둔 거란 생각이 들었다. 잠그려 했는데 잊은 건 아닐까. 시간이 흐를수록, 기다릴수록 그쪽으로 생각이 기울었다. 점심시간 전에 필요한 게 있어서 슈퍼마켓에 갔다가 급하게 돌아가느라 문을 잠그는 걸 잊은 거겠지. 묵직한 슈퍼마켓 문은 활짝 열려 있었고, 그는 뒤돌아보지 않고 집으로 가 버린 것 같았다.

나는 흥분한 나머지 이미 제정신이 아니었다. 내 머릿속은 온통 내가 지난 한 달 동안 구경도 못 했던 온갖 음식의 맛과 향으로 가득했다. 통조림 고기, 땅콩, 과자, 수프, 쿠키. 나는 여행에 필요한 물건들을 생각했다. 옷가지들, 잘 드는 칼, 손전등 배터리, 나침반. 슈퍼마켓에 들어갈 기회는 다시 없을 것이었다. 당장 모험을 해야만 했다. 나는 조심스럽게 슈퍼마켓 쪽으로 기어가기 시작했다. 덤불숲에 몸을 숨겨 가면서. 골짜기 쪽엔 그 어떤 움직임도 없었다.

마침내 덤불이 끝나는 지점에 이르렀다. 더 이상은 숨을 곳이 없었다. 오른쪽으로는 연못이 있는 들판이 펼쳐져 있었고 정면으로는 슈퍼마켓 쪽으로 난 길이 있었다. 나는 주위를 살피며 울타리 쪽으로 천천히 걸었다. 주위는 고요했다. 나는 점점 더 용기가 났다. 슈퍼마켓까지 겨우 50미터 정도 남겨 두었을 때 갑자기 발치에서 토끼 한 마리가 튀어나왔고 나는 깜짝 놀라 뒤로 펄쩍 뛰었다. 그 순간 창문에서 무언가가 움직였고 총탄이 날아왔다. 나는 돌아서서 뛰었다. 그는 또 한 번 총을 쏘았지만 완전히 빗나갔고, 그가 욕을 내뱉는 소리를 들은 것도 같았다. 파로가 짖었다. 나는 산비탈을 달려 올라가 숲 속에 몸을 숨겼다.

나는 덫으로 걸어 들어간 셈이었다. 나 자신의 어리석음을 책망하기엔 너무나 떨렸다. 토끼 덕분에, 그리고 루미스가 참을성이 없어서 내 목숨을 건졌다. 그러나 그걸로 끝이 아니었다. 숲으로 숨어들자마자 루미스는 팔 밑에 총을 끼고 파로를 앞세워 슈퍼마켓에서 나왔다. 그는 도로를 가로질러 들판으로 들어섰고 파로는 곧바로 나의 체취를 맡았다. 파로가 낑낑거리며 짖기 시작했다. 나는 다시 돌아서서 골짜기의 서쪽 봉우리로 향했다. 내가 할 일이 무언지 알고 있었다.

나는 속이 빈 나무에 숨겨 두었던 총을 찾아들고, 왔던 길을 그대로 되돌아가서 무성한 덤불과 어린 관목 숲에 몸을 숨기며 북쪽으로 향했다. 산 아래쪽에서 파로가 짖는 소리가 들려왔지만 나한테 오기까지 아직 시간이 있었다. 파로는 여러 냄새 중에 내 냄새를 가려내야 했고 나의 체취는 이미 바람에 희석되고 있었다. 머지않아 덤불숲이 성글어졌고 나는 나무 뒤에 몸을 숨겨가며 버든 시냇가에 이르렀다. 예전엔 데이비드, 조지프와 함께 그곳에서 민물 송어를 잡곤 했다. 물론 전쟁 이후엔 물고기를 한 번도 보지 못했지만. 나는 시내 물줄기의 흐름을 꿰고 있었다. 나는 평평한 돌다리 몇 개로 시내를 반쯤 건넌 뒤 좁은 여울을 건너뛰어 반대편 둑으로 올라가는 반질반질하고 야트막한 바위에 올라섰다. 나는 서둘러 바위를 넘어 나무들을 지나 커다란 바위 뒤에 몸을 숨겼다. 멀리 떨어져 있긴 해도 시내의 돌다리는 또렷하게 보였다. 나는 무릎 위에 총을 올려놓고 시냇물을 바라보았다.

오래 기다릴 필요는 없었다. 수풀을 지나며 서걱거리는 소리를 듣기에는 내가 너무 멀리 떨어져 있었기 때문에 그들이 시냇가에 모습을 드러냈을 때 나는 무방비 상태였다. 루미스가 미처 상황을 파악하기도 전에 파로는 물속에 첨벙 뛰어들었다. 뒤늦게 상황을 파악한 루미스가 줄을 당겼고 바로 그 순간 나는 그의 머리 바로 위에 총을 겨누고 쏘았다.

그는 내가 총을 갖고 있다는 것을 알지 못했고, 그래서 내가 총을 쏘았다는 사실을 선뜻 믿지 못했다. 그는 10초 정도 멍하니 서 있다가 비명을 지르며 한쪽으로 몸을 피했다. 그는 파로의 줄을 놓고 수풀로 뛰어들었다. 나는 한 번 더 쏘았지만 그는 이미 시야에서 사라져 있었다. 수풀이 흔들리는 방향으로 보아 집으로 달려가는 것 같았다.

파로는 버든 시내에서 헤엄을 치고 있었다. 녀석은 내 체취를 맡고 그 흔적을 따랐지만 바위 위로 올라가는 대신 물속으로 뛰어든 것이었다. 머리까지 물에 잠겼기 때문에 물살과 싸워야 했다. 어림잡아 물속에 약 5분 정도 있었다. 그러고 나서 내가 지나간 바위를 찾아 그 위로 올라간 뒤 이쪽 둑으로 건너왔다. 그리고 5분 뒤 내 곁으로 왔다.

나는 어두워질 때까지 바위 뒤에 숨어 있었다. 그때쯤 루미스가 산에서 멀어져 집 안으로 들어갔을 거라 확신했고, 파로를 내가 있는 곳으로 데려가도 안전할 것 같았다. 나는 파로에게 버섯과 저녁에 먹다 남은 야채들을 주었지만 녀석은 별로 관심이 없었다. 파로는 내 곁에서 밤새 자다가 아침이 되자 앓기 시작했다. 루미스가 앓았던 시간을 감안해 볼 때 파로도 며칠은 아플 거라 생각했다. 그러나 개는 사람과 예후가 달랐다. 해가 질 무렵 파로는 죽었다.

이제 나는 준비가 되었다. 내일 아침 해 뜨기 전에 나의 계획
을 실행에 옮길 것이다. 다시는 이 일기를 쓰지 못할지도 모른
다. 안전복을 입고 있는 나를 루미스가 본다면 쏘아 죽일 게 분
명하다.

밭을 갈면서 내가 얼마나 행복했는지를 생각하니 문득 서글
퍼진다.

# 스물다섯

## 8월 7일

　나는 이 글을 버든 언덕 정상에서 쓰고 있다. 나는 지금 안전복을 입고 있다. 이미 수레와 내 생필품들은 오그덴타운으로 가는 길목에 가져다 놓았다. 나는 루미스와 마지막으로 대면하기 위해 이곳으로 돌아왔다. 그와 담판을 지어야 한다. 루미스로부터, 이 골짜기로부터, 나의 모든 희망으로부터 한마디 말도 없이 돌아설 수는 없다. 물론 위험한 일이라는 건 안다. 그는 날 찾아올 것이고 총을 들고 올 것이다. 그러나 내게도 총이 있고 내가 앉아 있는, 죽음의 땅 가장자리에서는 골짜기 전체가 한눈에 내려다보인다. 그가 날 보기 전에 내가 그를 볼 것이다. 나는 그를 멈추어 세우고 총을 버리게 할 것이다.

만약 그가 거부한다면? 그 생각은 하지 않으려 한다. 나는 그를 죽일 수 없을 것이다. 그가 쏘기 전에 나는 숲으로 들어가 그가 접근할 수 없는 죽음의 땅으로 달아날 것이다.

그를 기다리는 동안 나는 이 골짜기에서 일어났던 일들을 마저 적으려 한다.


나는 파로를 묻을 수가 없었다. 삽이 없었다. 나는 죽은 파로를 안고 동쪽 봉우리로 가서 땅에 내려놓고 돌멩이로 덮었다. 더 이상 골짜기에 머무를 수가 없단 걸 그때 알았다. 너무도 슬펐고, 너무도 화가 났으며, 더 이상 루미스를 생각하기도, 보기도 싫었다.

어젯밤 나는 마지막으로 골짜기에서 잤다. 나의 계획과 그 계획을 실행에 옮겼을 때의 위험성을 생각하며 한참을 깨어 있었다. 자칫하면 죽을 수도 있다는 걸 알았지만 더 이상 미룰 수가 없었다. 파로 때문에 덫을 놓으면서 나는 나의 중요한 비밀을 노출시켰다. 내가 총과 실탄을 갖고 있다는 것. 루미스는 그 사실을 간과하지 않을 것이다. 그는 집 밖에서 일하지 않을 것이고, 나를 잡을 작전을 짜기 전엔, 적어도 총을 빼앗기 전엔 아무것도 하지 않을 것이다. 그는 극도로 조심할 것이고 전보다 훨씬 더 위험하게 행동할 것이다.

그러나 내게 유리한 점이 한 가지 있었다. 어린 시절 일요일 오후가 되면 부엌 식탁에 앉아 아빠와 체스를 두던 기억이 있다. 대개 아빠가 이겼다. 아빠는 체스를 오래 했기 때문에 경험에서 터득한 지혜가 있었다. 그러나 가끔은 내 공격이 계속 쌓여 아빠가 두는 모든 수가 날 방어하기 위한 것일 수밖에 없고, 나를 공격할 만한 그 어떤 작전도 짤 수 없는 상황이 될 때가 있었다. 아빠는 그것을 '공세를 취한다'라고 표현했고 그게 이기는 방법이라고 했다. 루미스와 나의 관계에서, 나는 마침내 내가 공세를 취할 시점이 되었다고 판단했다. 나는 무방비 상태의 그를 공격했고, 그를 놀라게 했다. 그 점을 이용해야만 했다.

선잠을 자고 동이 트기 몇 시간 전에 일어났다. 얼른 일어나 요기를 하고 앞으로 할 일의 순서를 생각해 보았다. 두려움이나 의심에 휩싸여 있을 때가 아니었다. 나는 가져갈 물건들을 챙겼다. 여분의 셔츠, 손전등, 나이프, 그리고 노트와 연필. 나는 그것들을 삼베 자루에 넣었다. 물을 담을 통도 하나 넣었다. 일단 수레를 훔치고 나면 연못에 멈추어 물을 담을 겨를이 없을 것이었다. 그러나 수레 안에는 방사능에 오염된 물을 정제할 수 있는 설비가 있었다. 나는 남아 있는 총알, 쌍안경, 그리고 내가 딴 포도와 버섯을 담은 조그만 봉지를 챙겼다. 마지막으로 배낭을 메고 총을 겨드랑이에 끼었다. 그리고 나의 은신처를 떠났다. 산등성이는 어두웠고, 나는 뒤를 돌아보지 않았다.

산등성이를 따라 숲을 가로질렀다. 하늘에는 별이 총총히 박혀 있고 꽉 찬 달이 머리 위 나무들을 비추고 있었다. 나는 시야가 트인 곳으로 나왔다. 골짜기 바닥은 칠흑처럼 어두웠지만 연못은 거울처럼 둥글게 반짝였다. 그 모든 것이 낯설게 아름다웠고 아직 골짜기에 있는데도 나는 벌써 여행을 떠난 것만 같은 기분이 들었다. 나는 산을 내려왔다.

연못에서 물통을 채웠다. 물을 아껴 마셔야 했다. 골짜기 밖에서 다른 물줄기나 냇물을 찾을 때까지 버텨야 했다. 나는 도로로 접어들어 북쪽으로 향했다. 이제 내 짐은 무거웠다. 자루, 총, 물을 채운 물통. 그 모든 것이 어둠 속에서 거의 보이지 않았다. 나는 도로를 따라 버든 언덕 꼭대기까지 걸었다. 그곳에서 내 물건들을 도로 옆 비탈에 숨기고 덤불로 덮은 다음 나뭇가지로 표시한 뒤 돌아서서 내가 온 길을 되돌아갔다.

내 계획이 실패할 가능성은 얼마든지 있었다. 루미스가 창문으로 날 보고 쏠 수도 있었다. 총을 맞고 다쳤던 날보다 이번엔 훨씬 더 가까이 다가가야 했다. 그가 내 작전을 간파하고 집에서 나오지 않을 수도 있었다. 아니면 나가는 척했다가 되돌아와서 내가 수레와 안전복을 훔치려 할 때 날 붙잡을 수도 있었다. 그렇게 되면 그는 반드시 날 죽일 것이다. 나는 두려웠지만 마음을 다잡고 계속 걸었다.

마침내 집이 시야에 들어왔다. 어스름한 달빛 아래 집은 검은색 네모였고, 불빛이 없었다. 지나가는 여행객이 보았다면 생명의 징후를 전혀 발견할 수 없었을 것이다. 나는 도로에서 벗어나 집 뒤쪽으로 빙 돌았다. 조금 둘러보니 호두나무 아래 묵직하고 둥그런 돌멩이 하나가 보였고 나는 주머니에서 접은 종이를 꺼냈다. 그 글을 쓰느라 몇 시간을 매달렸다. 적절한 말을 고르려 애썼고 내용을 수도 없이 다듬었다. 글씨는 어둠 속에서 거의 보이지 않았다. 나는 집을 옆으로 돌아 베란다에 올라갔다. 그리고 베란다에 쪽지를 펼쳐 놓고 돌로 괴었다. 그가 도저히 놓칠 수가 없는 위치였다. 나는 시냇가 수풀에 몸을 숨겼다.

쪽지엔 이렇게 적혀 있었다.


숨어 사는 것도 이젠 지쳤어요. 골짜기 남쪽 끝으로 나오세요. 길 모퉁이에 있는 평평한 바위 위에서 당신을 만나겠어요. 총은 현관에 놓고 오세요. 내가 지켜보고 있을 거예요. 총이 없는 사람을 해치진 않아요.


나는 버드나무 아래 키가 큰 풀이 우거진 곳에 누워 일출을 바라보았다. 산과 구릉 위 하늘이 잿빛으로 변했고 별들은 하나둘 사라져 갔다. 대지는 본래의 형태와 빛깔을 찾아가기 시작했다. 동쪽 하늘이 오렌지 빛으로 물들었고 산봉우리 위로 해가 떠올랐다. 내일이면 저 태양을 낯선 곳에서 보게 될 것이란 생각이 들었다.

미처 마음의 준비를 하지 못했을 때 그가 나타났다. 현관문이 열리고 그가 베란다로 나왔다. 그는 주위를 둘러보더니 바로 쪽지를 보았다. 그가 얼른 쪽지를 집어 들고 다급하게 주위를 살핀 다음 쪽지를 읽으려고 안으로 들어갔다. 그는 꽤 한참 동안 집 안에 있었다. 나는 수풀 속에 누워 눈을 문에 고정하고 그가 무슨 생각을 하고 있을지 생각해 보았다. 처음으로 그를 가까이 보았던 날이 생각났다. 그는 텐트 안에 아파서 누워 있었다. 그는 이제 한결 좋아졌다. 들판에서 일하느라 얼굴은 구릿빛으로 변했고 더 건강해졌다. 하지만 아직도 표정이 굳어 있었다. 처음에 나는 그의 표정이 시적이라고 생각했지만 시간이 지날수록 광기의 징후로 여겨졌다. 꽤 오랫동안 그를 이렇게 가까이 본 적이 없었고, 그 생각을 하는 순간 두려움에 온몸이 떨려 왔다.

내 계획은 성공이었다. 루미스는 한 손에 총을 들고 밖으로 나왔다. 그는 주위를 둘러보았다. 이번에는 그의 시선이 더 멀리 갔고, 더 샅샅이 훑었다. 내가 어딘가에 숨어 그를 지켜보고 있다는 걸 그는 알았다. 그는 조심스럽게 베란다에 총을 내려놓았다. 마치 자기가 큰 실수를 하고 있다는 듯이. 그는 다시 한 번 주위를 둘러보았다. 어쩌면 그가 소리를 질러 날 부를지도 모른다 생각했지만 그러진 않았다. 그는 도로 쪽으로 나가서 왼쪽으로 돌아 곧장 골짜기 남쪽으로 향했다.

나는 얼어붙었다. 얼른 달려가 수레를 끌고 와야 한단 걸 알
았지만 그가 실제로 사라졌단 걸 믿을 수가 없었다. 거의 5분 동
안 나는 풀밭에 몸을 떨며 누워 있었다. 나는 남쪽을 바라보았
다. 그는 빠르게 걷고 있었고 이제 거의 시야에서 벗어났다. 그
가 돌아올 것 같진 않았다. 나는 벌떡 일어나 달리기 시작했다.

나는 들판을 가로지르고 도로를 건너 수레로 달려갔다. 내가
기억하고 있는 것보다 작아 보였고 비를 맞아 페인트가 일어나
고 벗겨져 있었다. 나는 초록색 덮개 안을 들여다보았다. 내게
필요한 모든 게 그 안에 있었다. 안전복, 식량, 산소탱크, 가이거
측정기. 머지않아 나는 이 모든 것에 내 목숨을 의지하게 될 것
이었다. 이 물건들이 나를 낯선 세계에서 버티게 해 줄 것이었
다. 나는 수레 앞쪽으로 가서 손잡이 사이의 공간으로 들어가 손
잡이를 들어 올렸다. 그리고 앞으로 끌었다. 수레는 앞뜰의 풀밭
과 아스팔트 도로 위에서 수월하게 굴렀다.

나는 집을 뒤로하고 걸었다. 수많은 장면들이 눈앞을 스쳤다.
어렸을 때 보았던 우리 집을 떠올렸다. 저녁을 먹으러 올라가던
현관 계단. 밤에 나와 개똥벌레를 바라보며 앉아 있곤 했던 베란
다. 할아버지가 태워 주던 그네. 거기 앉아 듣던, 누군가가 부르
던 노래 혹은 누군가가 틀어 놓았던 축음기 소리. 내 삶에 일어날
것만 같았던 낭만적인 상상들을 하며 한밤중 그네에 앉아 있던
일. 내 뒤로 끌려오는 수레의 무게를 느끼며 나는 계속 걸었다.

도로를 따라 걷는 동안 수레의 바퀴가 아스팔트 위에서 쇳소리를 냈다. 바람이 풀과 나뭇잎을 흔들고, 내 얼굴엔 흙먼지가 날렸다. 한 걸음 내디딜 때마다 나는 내 삶으로부터 조금 더 멀어지는 것 같은 기분이 들었다. 그것은 사실이기도 했다. 그러나 내 눈에 보이는 모든 것들이 한편으론 나를 이 골짜기에 더 단단히 묶어 놓는 것만 같았다. 나무 위에 지은 오래된 놀이집의 잔해도 지났다. 어린 시절 나는 무엇을 꿈꾸었던가. 기억해 보려 애썼지만 어린 시절의 그 어떤 경험도 이런 상황에 대비해 나를 훈련시켰던 것 같진 않았다.

나는 뒤를 돌아보았다. 도로는 아직 고요했다. 루미스가 어디 있는지, 아직도 바위 옆에서 날 기다리고 있는지 궁금했다. 수레가 사라진 걸 알았을 때, 내게 깜빡 속았다는 것을 알았을 때 얼마나 화가 날지 상상해 보았다. 나는 다시 긴장이 되어서 계속 걷기가 쉽지 않았다. 나는 내 꿈을 생각하려 애썼다. 학교. 아이들의 얼굴. 그러나 그 생각을 마음속에 계속 담아 두기도 쉽지 않았다.

나는 죽음의 땅으로 향하고 있었다. 밖에서 흘러 들어와 도로변을 지나는 물줄기는 아마도 내가 따라갈 길을 가로지르고 있었다. 그 물은 언제나처럼 깨끗했고 바위에 부딪히는 물소리도 아름다웠다. 그러나 그 물에 닿는 건 모두 죽는다. 파로를 떠올리는 순간 눈에 눈물이 차올랐다.

나는 다시 루미스를 생각했다. 곧 그를 마지막으로 대면할 것이었다. 그를 보지 않고 갈 수도 있었다. 그러고 싶었다. 그런데 그러기엔 뭔가 마음에 걸렸다. 마치 수레의 무게처럼 무언가가 무겁게 나를 끌어당겼다. 아팠을 때 그의 얼굴과, 그가 죽을 거란 생각에 슬퍼했던 나를 생각했다. 저 아래 풀밭에 있던 소가 "음매!" 하고 낮게 울었다. 마치 내가 떠나는 걸 안다는 듯이. 어쩌면 이미 떠났다고 생각한다는 듯이.

그를 보면 무슨 말을 해야 할까. 그는 분노에 휩싸여 날 죽이려 들 것이다. 나를 못 가게 하려고 무슨 짓이든 할 것이다. 무슨 말이든 할 것이다. 죽음의 땅에 드리워진 공포에 대해 얘기할 것이고, 고요한 도로와 들판의 고독에 대해 얘기할 것이다. 집집마다, 차들마다 쌓여 있는 시체 얘기를 할 것이다. 사람이 살 곳이 없단 걸 이미 확인했다고 말할 것이다. 물론 그가 찾을 만큼 찾아본 건 사실이었다. 또한 그는 말할 것이다. 제발 돌아오라고. 제발, 제발, 제발 집으로 돌아오라고. 건드리지 않겠다고.

막바지에는 수레를 끌고 오르막길을 오르느라 거의 아무 생각도 할 수가 없었다. 내 왼쪽과 오른쪽으로 나무들이 다시 모습을 드러내기 시작했고 어느덧 그늘진 숲길이 이어졌다. 나는 아래로 시선을 고정했다. 도로가 완만하게 구부러지면서 다시 반듯해졌고, 오른쪽으로 무성한 관목 수풀이 보였다. 나는 수레를 세워 놓고 숨겨 놓았던 자루를 찾았다. 자루와 물통을 수레에 싣고 나서 곧장 죽음의 땅 가장자리로 향했다. 거기서 안전복으로 갈아입고 산소통 작동법을 확인한 다음 산소통을 등에 멨다. 그러고 나서 다시 내리막길로 수레를 몰아 오그덴타운으로 가는 길목에 세워 두고, 이 노트와 총을 들고 이곳으로 돌아왔다.

동쪽 산봉우리에 해가 높이 솟아올랐고, 아침 햇살에 빛나는 골짜기는 아름다웠다. 루미스가 어떻게 되었는지, 그가 어디 있는지 나는 알지 못한다. 그러나 나는 그를 기다릴 것이다. 그에게 말해야만 한다. 어쩌면 내 평생 마지막으로 들을 인간의 목소리일지도 모르니까.

저기 루미스가 오고 있다. 트랙터를 몰고 다가오는 그의 모습이 보인다. 이 얘기를 남길 수 있어서 다행이다.

# 스물여섯

**8월 8일**

우리의 대화는 처음부터 내 뜻대로 풀리지 않았다. 그는 총을 무릎 위에 올려놓고 최고 속력으로 트랙터를 몰고 왔다. 나는 그에게 멈추라고 소리쳤지만 그는 속도를 늦추지 않고 계속 달려왔다. 나는 그가 엔진 소리 때문에 내 소리를 듣지 못했다고 생각하고 절망적인 심정으로 허공에 총을 쏘았지만, 그는 설령 그 소리를 들었다고 해도 무시했다. 그는 트랙터를 버든 언덕 꼭대기까지 몰았다. 내가 숨어 있는 곳 바로 맞은편으로. 그는 트랙터에서 뛰어내려 오그덴타운으로 가는 길을 살펴보았다.

심장이 미친 듯이 뛰기 시작했고 나는 당황해서 어쩔 줄을 몰랐다. 그가 내게 등을 돌리고 있었지만 그를 쏠 수는 없었다. 말을 할 수 있을지도 확신이 없었지만 어쨌든 말을 해야 했고 나의 목소리는 생각보다 침착했다.

"총 버리세요."

그가 뒤로 홱 돌며 내 방향으로 총을 쏘았다. 그는 아직 날 보지 못했지만 나는 불과 7미터 거리에 있었다. 이젠 끝이었다. 내 나이 열여섯. 그동안 살아 보려고 무던히도 노력했지만 이제 죽는다는 생각이 들었다. 걷잡을 수 없는 허탈감이 밀려왔고, 너무도 씁쓸해서 두려움마저 사라졌다. 나는 일어나 그와 마주 섰다. 그의 가슴에 총구를 겨눈 채로. 그러나 그는 총은 보지 못하고, 내가 입고 있는 안전복만 보고 소리를 질러 대기 시작했다.

"그건 내 거야! 너도 알잖아! 그게 내 거란 거! 당장 벗지 못해!"

"싫어. 못 벗어."

그가 내게 총을 겨누었다. 나 역시 총을 겨누며 꼿꼿하게 서 있었다. 내가 그를 쏠 수 없다는 걸 알았다. 이제 어떻게 해야 할지 아무 생각도 할 수가 없었고, 그래서 내 입에서 나온 말에 나 자신도 놀랐다. 내가 생각해 본 적도 없는 말이었다. 그러나 지금은 안다. 아마도 그 말이 내 목숨을 구했을 거라는 걸.

"맞아. 당신은 날 죽일 수 있어. 에드워드를 죽였던 것처럼."

그가 멍하니 날 쳐다보았다. 그리고 고개를 저었다. 마치 자기가 잘못 들었다는 듯이. 아니면 그 말을 못 들었다는 듯이. 그러나 그는 결국 총을 내리고 한 걸음 물러섰다.

"네가 그걸 어떻게……."

그의 목소리는 흔들리고 있었다.

"당신이 아팠을 때 말했어. 어쩌다가 그의 가슴에 총을 쏘게 되었는지. 덕분에 안전복의 구멍을 기워야 했지. 내가 입고 있는 이 안전복, 당신 목숨을 구해 준 이 안전복."

루미스가 내게서 돌아섰다. 그는 잠시 그 자리에 그렇게 서 있었고, 나는 확실히 말할 수는 없지만 그의 어깨가 흔들렸다고 생각했다. 잠시 후 그가 조용히 말했다.

"안전복을 훔치려 했어. 지금 네가 훔친 것처럼."

"내겐 다른 선택이 없었어. 난 죽고 싶지 않았어. 그런데 넌 내게 아무것도 주지 않았어. 이대로 있다간 아마 겨우내 굶주렸겠지. 짐승처럼 쫓기며 살고 싶지 않았어. 네 죄수가 되고 싶지 않았어."

나 자신의 목소리에 힘을 얻으며 말을 이어 갔다.

"다른 사람들이 있는 곳을 찾을 거야. 날 반겨 주는 사람들. 날 막으려면 날 죽여야 할 거야."

"넌 그렇게 못 해."

그가 말했다. 그러나 그는 내 말이 진심임을 알았다. 그의 목소리에서 두려움과 당혹감이 배어났다. 그는 금방이라도 울 것 같았다.

"가지 마…… 날 버리지 마…… 날 여기 혼자 두지 마……."

"만약 당신이 날 쏜다면, 당신은 진짜 혼자가 되는 거야. 몇 달을 찾아보았지만 아무도 없었다고 했지. 어쩌면 정말 아무도 없을지도 몰라. 만약 내가 사람들을 만나게 되면, 당신 얘기를 할 거야. 어쩌면 누군가 이 골짜기로 살러 올 수도 있겠지. 당신은 조만간 식량을 수확하게 될 거야. 당신한텐 트랙터도 있고 슈퍼마켓도 있어. 이 골짜기도 있고."

내 목소리에 쓸쓸함이 배어났다. 잠시 후 나는 거의 눈물이 쏟아질 것 같은 기분을 느끼며 한마디를 덧붙였다.

"당신이 아플 때 난 성심껏 간호했어. 그런데 당신은 고맙단 말조차 하지 않았어."

나의 마지막 말은 그토록 유치했다.


그게 전부였다. 나는 얼굴에 마스크를 단단히 고정했다. 신선한 공기가 내 입으로 들어왔다. 나는 그에게서 돌아섰다. 등에 총탄이 박히는 순간의 날카로운 통증을 기다리면서. 그러나 총탄은 날아오지 않았다. 나는 죽음의 땅으로 들어섰다. 루미스가 소리를 지르고 있었다. 그러나 마스크가 귀를 가려서 그의 목소리는 먼 웅얼거림일 뿐이었고 무슨 소린지 이해할 수가 없었다. 나는 계속 걸었다. 그런데 어느 순간 그의 목소리가 들렸다. 그는 내 이름을 부르고 있었다. 그의 목소리의 무엇이 나를 멈추어 돌아보게 했다. 그는 죽음의 땅 가장자리에 서 있었다. 그는 서쪽을 가리키며 똑같은 말을 반복해서 외치고 있었다.

"새! 새를 봤어! 서쪽! 서쪽에서 맴돌고 있었어! 그쪽으로 사라졌는데, 위치는 몰라! 하지만 새들이 있었어!"

나는 손을 들어 내가 이해했음을 알렸다. 나는 힘겹게 돌아서서 걸음을 재촉했다.

이제 아침이다. 내가 있는 곳이 어딘지 모른다. 오후 내내 걸었고, 밤에도 너무 피곤해서 더 이상 걸을 수 없을 때까지 걸었다. 나는 굳이 텐트를 치지 않고 길가에 담요를 깔고 누웠다. 잠이 들었을 때 그 꿈이 나를 찾아왔고, 꿈속에서 나는 교실과 아이들을 찾을 때까지 계속 걸었다. 눈을 떠 보니 해가 하늘 높이 솟아 있다. 물은 갈색 초원 위로 구불거리며 서쪽으로 흐르고 있다. 꿈은 사라졌지만 나는 어느 쪽으로 가야 할지 알고 있다. 걸음을 옮겨 놓으며 나는 지평선에서 초록빛 풀의 흔적을 찾는다. 나에겐 희망이 있다.

## 옮긴이의 말

핵전쟁으로 멸망한 세상에 최후의 생존자로 열여섯 살 소녀가 남겨졌다. 기다림은 이내 체념이 되고 고독과 정적은 어느덧 일상이 되었다. 생존을 위한 산골짜기의 거친 삶에 소녀의 꿈은 묻혀 버렸고 미래는 사라졌다.

그런데 누군가가 나타난다. 누구나 한 번쯤 자신을 대입해 보았을 이 악몽 같은 현실에서 이야기는 시작된다. 멀리서 다가오는 한 남자. 그가 기쁜 소식일지 재앙일지 소녀는 알지 못한다. 자신이 유일한 생존자라고 믿으며 살았던 소녀의 일상은 멀리서 피어오르는 모닥불 연기에 흩어지고 머지않아 소녀는 깨닫는다. 최후의 생존자가 되는 것보다 더 끔찍한 일이 일어날 수도 있다는 것을.

『최후의 Z』는 1974년도에 발표된 작품이다. 소설이 발표될 당시만 해도 소재와 작가의 상상력이 이슈가 되었겠지만 지금 다시 읽히는『최후의 Z』는 그 느낌이 사뭇 다르다. 40여 년 전 비교적 막연한 공포의 대상이었던 핵전쟁과 방사능, 인류의 멸망은 최근에 있었던 이웃 나라의 원전 폭발 사고와 그 이후 인터넷을 통해 급속히 확산되었던 불안을 감안해 볼 때 현 시대를 살아가는 이들에게 훨씬 더 구체적이고 현실적인 두려움으로 다가오기 때문이다.

주어진 상황에 수동적으로 대응하다가 어느 순간 자신의 삶의 주인이 되는 소녀의 섬세한 감정 변화가 치밀하고 설득력 있게 그려졌고, 특히 후반부의 반전이 인상적이다. 암울하고 극적인 상황과 대비되는 소박한 문장과 그 속에 내재되어 있는 절제된 감정이 작품에 품위와 무게를 더한다. 작가의 목소리는 전반적으로 침착하지만 깊고 울림이 있다.

지난 몇 년 동안 인류의 멸망과 최후의 생존자를 소재로 한 작품의 번역 의뢰가 유독 많았다.『최후의 Z』는 그중 가장 오래된 작품이지만 고전으로 오래 읽힐 여러 가지 요소를 갖춘 수작이다. 명작을 명작이게 하는 것은 그 소설에 담긴 메시지의 유효성이 아닐까. 이 소설의 메시지는 40여 년이 지난 지금도 그 빛을 잃지 않았다. 소설과 영화에서 흔히 다루어졌던 소재이지만 인류의 멸망을 다룬 모든 이야기가 그렇듯이 이 소설이 전하는 메시지 역시 희망이다. 주인공 앤 버든은 꼭 그 나이 소녀다운 두려움과 용기를 지녔지만 최후의 생존자로서, 혹은 최후의 자유인으로서 그녀의 독백은 성인 독자들에게도 의미 있는 두려움과 경각심을 일깨워 준다.

번역을 마치고 문득 이런 생각이 들었다. 인간은 자신의 죽음을 결코 인지할 수 없기에, 어찌 보면 우리 모두가 최후의 인간 '자카리아'일지도 모른다고.

이진

**블루픽션 44**

## 최후의 Z

1판 1쇄 펴냄   2015년 4월 3일
1판 14쇄 펴냄   2023년 8월 28일

지은이  로버트 C. 오브라이언
옮긴이  이진
펴낸이  박상희
편집주간  박지은
편집  장은혜
디자인  인수정

**펴낸곳  (주)비룡소**
출판등록  1994년 3월 17일 제16-849호
주소  06027 서울시 강남구 도산대로1길 62 강남출판문화센터 4층
전화  02)515-2000  팩스  02)515-2007  홈페이지  www.bir.co.kr
제품명  어린이용 반양장 도서  제조자명  (주)비룡소  제조국명  대한민국  사용연령  3세 이상

ISBN  978-89-491-2340-0  44800
　　　978-89-491-2053-9 (세트)

이 도서의 국립중앙도서관 출판시도서목록(CIP)은 서지정보유통지원시스템 홈페이지(http://seoji.nl.go.kr)와
국가자료공동목록시스템(http://www.nl.go.kr/kolisnet)에서 이용하실 수 있습니다.
(CIP제어번호 : CIP2015009252)

## | 블루픽션 시리즈

**1. 스켈리그** 데이비드 알몬드 글/ 김연수 옮김

안데르센 상, 엘리너 파전 문학상, 카네기 상, 휘트브레드 상, 마이클 L.프린츠 상,
어린이도서연구회 권장 도서, 책교실 권장 도서, 중앙독서교육 추천 도서

**2. 운하의 소녀** 티에리 르냉 글/ 조현실 옮김

소르시에르 상, 어린이도서연구회 권장 도서

**4. 0에서 10까지 사랑의 편지** 수지 모건스턴 글/ 이정임 옮김

밀드레드 L. 배첼더 상, 어린이도서연구회 권장 도서

**5. 희망의 섬 78번지** 우리 오를레브 글/ 유혜경 옮김

안데르센 상 수상 작가, 밀드레드 L. 배첼더 상, 머더카이 상, 아침햇살 선정 좋은 어린이 책,
중앙독서교육 추천 도서, 책교실 권장 도서, 책따세 추천 도서

**6. 뢰스 극장의 연인** 자닌 태송 글/ 조현실 옮김

프랑스 '올해의 청소년 책', 소르시에르 상, 어린이도서연구회 권장 도서, 열린 어린이가 뽑은 좋은 책

**7. 시인 X** 엘리자베스 아체베도 글/ 황유원 옮김

카네기상, 내셔널 북 어워드, 마이클 L. 프린츠 상, 보스턴 글로브 혼 북 상, 골든 카이트 어워드,
아침독서 추천 도서

**9. 이매지너리 프렌드** 매튜 딕스 글/ 정회성 옮김

**10. 초콜릿 전쟁** 로버트 코마이어 글/ 안인희 옮김

미국 도서관 협회 선정 도서, 뉴욕타임스 선정 도서, 어린이도서연구회 권장 도서

**11. 전갈의 아이** 낸시 파머 글/ 백영미 옮김

뉴베리 상, 국제 도서 협회 선정 도서, 마이클 L. 프린츠 상, 책교실 권장 도서, 어린이도서연구회 권장 도서

**13. 나의 산에서** 진 C. 조지 글/ 김원구 옮김

뉴베리 상, 미국 도서관 협회 선정 도서, 어린이도서연구회 권장 도서,
열린 어린이가 뽑은 좋은 책, 책교실 권장 도서

**15. 우리 형은 제시카** 존 보인 글/ 정회성 옮김

줏대있는 어린이 추천 도서

**17. 푸른 황무지** 데이비드 알몬드 글/ 김연수 옮김

안데르센 상, 엘리너 파전 문학상, 스마티즈 상, 마이클 L.프린츠 상, 어린이도서연구회 권장 도서

**18. 킬리만자로에서, 안녕** 이옥수 글

학교도서관저널 추천 도서

**20. 기억 전달자** 로이스 로리 글/ 장은수 옮김

뉴베리 상, 보스턴 글로브 혼 북 명예상, 어린이도서연구회 권장 도서,
열린 어린이가 뽑은 좋은 책, 교보문고 추천 도서

**22. 내 인생의 스프링캠프** 정유정 글

세계청소년문학상, 문화관광부 교양 도서, 어린이도서연구회 권장 도서,
교보문고 추천 도서, 학도넷 추천 도서

**23. 줄무늬 파자마를 입은 소년** 존 보인 글/ 정희성 옮김

아일랜드 '오늘의 책', 행복한 아침독서 추천 도서, 교보문고 추천 도서

**25. 파랑 채집가** 로이스 로리 글/ 김옥수 옮김

어린이도서연구회 권장 도서

**26. 하이킹 걸즈** 김혜정 글

블루픽션상, 한국문화예술위원회 우수문학도서, 책따세 추천 도서, 학도넷 추천 도서

**27. 지구 아이** 최현주 글

제11회 블루픽션상 수상작

**28. 나는 브라질로 간다** 한정기 글

황금도깨비상 수상 작가, 소년조선일보 추천 도서, 중앙일보 추천 도서

**29. 키싱 마이 라이프** 이옥수 글

한국문화예술위원회 우수문학도서, 어린이도서연구회 권장 도서, 교보문고 추천 도서,
전국독서새물결모임 추천 도서, 학교도서관저널 추천 도서

**30. 꼴찌들이 떴다!** 양호문 글

블루픽션상, 행복한 아침독서 추천 도서, 교보문고 추천 도서, 책따세 추천 도서,
경기도학교도서관사서협의회 추천 도서, 중앙일보 북클럽 추천 도서

**31. 우연한 빵집** 김혜연 글

문학나눔 선정 도서, 학교도서관저널 추천 도서, 책따세 추천 도서, 아침독서 추천 도서,
어린이도서연구회 추천 도서

**32. 생쥐와 인간** 존 스타인벡 글/ 정영목 옮김

미국 도서관 협회 선정 도서, 국립어린이청소년도서관 추천 도서

**33. 두 개의 달 위를 걷다** 샤론 크리치 글/ 김영진 옮김

뉴베리 상, 미국 어린이 도서상, 스마티즈 북 상, 영국독서협회 상 수상작,
경기도학교도서관사서협의회 추천 도서, 학도넷 추천 도서

**34. 침묵의 카드 게임** E. L. 코닉스버그 글/ 햇살과나무꾼 옮김

스쿨 라이브러리 저널 선정 최고의 책, 에드거 앨런 포 상 노미네이트,
경기도학교도서관사서협의회 추천 도서, 아침독서 추천 도서

**35. 빅마우스 앤드 어글리걸** 조이스 캐럴 오츠 글/ 조영학 옮김

스쿨 라이브러리 저널 선정 최고의 책, 미국 도서관 협회 선정 최고의 청소년 책,
뉴욕 공립 도서관 추천 도서, 학교도서관저널 추천 도서

**36. 서쪽 마녀가 죽었다** 나시키 가오 글/ 김미란 옮김

소학관 문학상, 일본 아동문학가협회 신인상, 한국간행물윤리위원회 청소년 권장 도서,
어린이도서연구회 권장 도서, 아침독서 추천 도서, 책따세 추천 도서

**37. 닌자걸스** 김혜정 글

전국학교도서관담당교사모임 추천 도서, 아침독서 추천 도서

**38. 첫사랑의 이름** 아모스 오즈 글/ 정희성 옮김

안데르센 상, 제브 상

**39. 하니와 코코** 최상희 글

블루픽션상, 사계절문학상 수상 작가, 학교도서관저널 추천 도서

**40. 파랑 치타가 달려간다** 박선희 글

제3회 블루픽션상 수상작, 학교도서관저널 추천 도서, 아침독서 추천 도서,
어린이도서연구회 권장 도서, 책따세 추천 도서, 문화체육관광부 우수교양도서

**41. 나는, K다** 이옥수 글

학교도서관저널 추천 도서

**42. 어쩌자고 우린 열일곱** 이옥수 글

한국도서관협회 우수문학도서, 학교도서관저널 추천 도서

**43. 앉아 있는 악마** 김민경 글

**44. 최후의 Z** 로버트 C. 오브라이언 글/ 이진 옮김

뉴베리 상 수상 작가

**46. 줄리엣 클럽** 박선희 글

제3회 블루픽션상 수상 작가, 대한출판문화협회 선정 올해의 청소년 도서,
한국도서관협회 선정 우수문학도서

**47. 번데기 프로젝트** 이제미 글

제4회 블루픽션상 수상작

**48. 뚱보가 세상을 지배한다** K.L. 고잉 글/ 정회성 옮김

마이클 L. 프린츠 아너 상

**49. 파랑 피** 메리 E. 피어슨 글/ 황소연 옮김

미국학교도서관저널, 미국도서관협회 선정 청소년 분야 '최고의 책',
학교도서관저널 추천 도서, 책따세 추천 도서

**50. 판타스틱 걸** 김혜정 글

제1회 블루픽션상 수상 작가, 대한출판문화협회 선정 올해의 청소년 도서,
고래가 숨쉬는 도서관 선정 도서, 한국도서관협회 선정 우수문학도서,
경기도학교도서관사서협의회 추천 도서

**51. 어쨌거나 스무 살은 되고 싶지 않아** 조우리 글

제12회 블루픽션상 수상작

**52. 우리들의 짭조름한 여름날** 오채 글

마해송 문학상 수상 작가, 한국도서관협회 선정 우수문학도서,
국립어린이청소년도서관 추천 도서, 경기도학교도서관사서협의회 추천 도서,
2017 순천시 One City One Book 선정 도서

**53. 웰컴, 마이 퓨처** 양호문 글

제2회 블루픽션상 수상 작가, 대한출판문화협회 선정 올해의 청소년 도서,
경기도학교도서관사서협의회 추천 도서

**54. 초록 눈 프리키는 알고 있다** 조이스 캐럴 오츠 글/ 부희령 옮김

미국 내셔널북어워드, 오헨리 상 수상 작가, 경기도학교도서관사서협의회 추천 도서,
국립어린이청소년도서관 추천 도서

**56. 메신저** 로이스 로리 글/ 조영학 옮김

뉴베리 상, 보스턴 글로브 혼 북 명예상 수상 작가, 경기도학교도서관사서협의회 추천 도서

**59. 고백은 없다** 로버트 코마이어 글/ 조영학 옮김

전미 도서관 협회 선정 청소년을 위한 최고의 책,
퍼블리셔스 위클리 선정 최고의 책, 북리스트 편집자의 선택

**61. 개 같은 날은 없다** 이옥수 글

2013 서울 관악의 책 , 목포시립도서관 추천 도서 , 울산남부도서관 올해의 책,
책따세 추천 도서, 한국간행물윤리위원회 청소년 권장 도서, 한국도서관협회 우수문학도서,
국립어린이청소년도서관 추천 도서

**63. 명탐정의 아들** 최상희 글

제5회 블루픽션상 수상 작가, 문화체육관광부 우수교양도서

**64. 갈까마귀의 여름** 데이비드 알몬드 글/ 정회성 옮김

안데르센 상, 엘리너 파젼 문학상, 카네기 상, 휘트브레드 상 수상 작가

**65. 파랑의 기억** 메리 E. 피어슨 글/ 황소연 옮김

**67. 하필이면 왕눈이 아저씨** 앤 파인 글/ 햇살과나무꾼 옮김

카네기 메달, 가디언 어린이 픽션 상

**68. 반드시 다시 돌아온다** 박하령 글

제10회 블루픽션상 수상작, 학교도서관저널 추천 도서, 세종도서 문학나눔 선정 도서

**69. 원더랜드 대모험** 이진 글

제6회 블루픽션상 수상작, 국립어린이청소년도서관 추천 도서, 아침독서 추천 도서

**70. 나는 일어나, 날개를 펴고, 날아올랐다** 조이스 캐럴 오츠 글/ 황소연 옮김

미국 내셔널북어워드, 오헨리 상 수상 작가

**71. 칸트의 집** 최상희 글

제5회 블루픽션상 수상 작가, 아침독서 추천 도서, 세종도서 문학나눔 선정 도서

**72. 태양의 아들** 로이스 로리 글/ 조영학 옮김

뉴베리 상, 보스턴 글로브 혼 북 명예상 수상 작가

**73. 마법의 꽃** 정연철 글

푸른문학상 수상 작가, 세종도서 문학나눔 선정 도서, 학교도서관저널 추천 도서

**74. 파라나** 이옥수 글

학교도서관저널 추천 도서, 사계절문학상 수상 작가, 책따세 추천 도서, 국립어린이청소년도서관
추천 도서, 세종도서 문학나눔 선정 도서, 아침독서 추천 도서

**75. 그 여름, 트라이앵글** 오채 글

마해송 문학상 수상 작가, 국립어린이청소년도서관 추천 도서, 아침독서 추천 도서

**76. 밀레니얼 칠드런** 장은선 글

제8회 블루픽션상 수상작, 학교도서관저널 추천 도서, 아침독서 추천 도서

**77. 아르주만드 뷰티 살롱** 이진 글

블루픽션상 수상작가, 한국출판문화진흥원 우수 콘텐츠 제작 지원 당선작

**78. 굿바이 조선** 김소연 글

**80. 당첨되셨습니다 – SF 앤솔러지** 길상효 오정연 전혜진 정재은 홍준영 곽유진 홍지운
이지은 이루카 이하루 글

**81. 순례 주택** 유은실 글

2021 중구민 한 책 선정, 2022 광주시 동구 올해의 책, 2022 미추홀구의 책,
2022 양주시 올해의 책, 2022 원 북 원 부산 올해의 책, 2022 원 북 원 포항 올해의 책,
2022 원주시 한 도시 한 책 읽기 선정 도서, 2022 익산시 올해의 책,
2022 전남도립도서관 올해의 책, 2022 전주시 올해의 책, 2022 평택시 올해의 책,
국립어린이청소년도서관 추천 도서, 문학나눔 우수문학 도서,
서울시 교육청 어린이도서관 추천 도서, 아침독서 추천 도서, 2022 대구 올해의 책,
2023 청주, 구미, 금산군 올해의 책

**82. 녀석의 깃털** 윤해연 글

학교도서관저널 추천 도서, 문학나눔 우수문학 도서

**83. 모두의 연수** 김려령 글

⊙ 계속 출간됩니다.